O SEGREDO DA
EMPREGADA

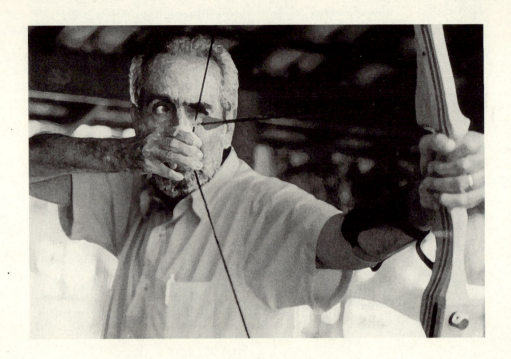

O Arqueiro

GERALDO JORDÃO PEREIRA (1938-2008) começou sua carreira aos 17 anos, quando foi trabalhar com seu pai, o célebre editor José Olympio, publicando obras marcantes como *O menino do dedo verde*, de Maurice Druon, e *Minha vida*, de Charles Chaplin.

Em 1976, fundou a Editora Salamandra com o propósito de formar uma nova geração de leitores e acabou criando um dos catálogos infantis mais premiados do Brasil. Em 1992, fugindo de sua linha editorial, lançou *Muitas vidas, muitos mestres*, de Brian Weiss, livro que deu origem à Editora Sextante.

Fã de histórias de suspense, Geraldo descobriu *O Código Da Vinci* antes mesmo de ele ser lançado nos Estados Unidos. A aposta em ficção, que não era o foco da Sextante, foi certeira: o título se transformou em um dos maiores fenômenos editoriais de todos os tempos.

Mas não foi só aos livros que se dedicou. Com seu desejo de ajudar o próximo, Geraldo desenvolveu diversos projetos sociais que se tornaram sua grande paixão.

Com a missão de publicar histórias empolgantes, tornar os livros cada vez mais acessíveis e despertar o amor pela leitura, a Editora Arqueiro é uma homenagem a esta figura extraordinária, capaz de enxergar mais além, mirar nas coisas verdadeiramente importantes e não perder o idealismo e a esperança diante dos desafios e contratempos da vida.

FREIDA McFADDEN

O SEGREDO DA EMPREGADA

Título original: *The Housemaid's Secret*
Copyright © 2023 por Freida McFadden
Copyright da tradução © 2024 por Editora Arqueiro Ltda.
Publicado originalmente na Grã-Bretanha por Storyfire Ltd, Bookouture.

Todos os direitos reservados. Nenhuma parte deste livro
pode ser utilizada ou reproduzida sob quaisquer meios existentes
sem autorização por escrito dos editores.

coordenação editorial: Taís Monteiro

produção editorial: Ana Sarah Maciel

tradução: Fernanda Abreu

preparo de originais: Karen Alvares

revisão: Ana Grillo e Pedro Staite

diagramação: Valéria Teixeira

capa: Lisa Horton

adaptação de capa: Gustavo Cardozo

imagens de capa: Imagine CG Images (fechadura);
Lukaszsokol (textura da porta); Oleg Gekman (olho)

impressão e acabamento: Lis Gráfica e Editora Ltda.

CIP-BRASIL. CATALOGAÇÃO NA PUBLICAÇÃO
SINDICATO NACIONAL DOS EDITORES DE LIVROS, RJ

M144e
    McFadden, Freida
       O segredo da empregada / Freida McFadden ; [tradução Fernanda
Abreu]. – 1. ed. – São Paulo : Arqueiro, 2024.
       288 p. ; 23cm.

       Tradução de: The housemaid's secret
       Sequência de: A empregada
       ISBN 978-65-5565-594-0

       1. Ficção inglesa. I. Abreu, Fernanda. II. Título.

                        CDD: 823
23-86494   CDU: 82-3(410.1)

Gabriela Faray Ferreira Lopes – Bibliotecária – CRB-7/6643

Todos os direitos reservados, no Brasil, por
Editora Arqueiro Ltda.
Rua Artur de Azevedo, 1.767 – Conj. 177 – Pinheiros
05404-014 – São Paulo – SP
Tel.: (11) 2894-4987
E-mail: atendimento@editoraarqueiro.com.br
www.editoraarqueiro.com.br

PRÓLOGO

Hoje à noite, vou ser assassinada.

Um relâmpago no céu ilumina a sala do pequeno chalé onde estou passando a noite e onde minha vida em breve chegará a um abrupto fim. Mal consigo distinguir as tábuas de madeira do piso lá de baixo e, por uma fração de segundo, imagino meu corpo esparramado nessas tábuas, com uma poça vermelha se espalhando num círculo irregular e se entranhando na madeira. Meus olhos abertos fitando o nada. Minha boca entreaberta, com um filete de sangue escorrendo pelo queixo.

Não. *Não.*

Hoje à noite, não.

Quando o chalé fica escuro de novo, tateio às cegas na minha frente para me afastar do conforto do sofá. É um baita temporal, mas não forte o suficiente para afetar a energia. Não; outra pessoa foi responsável por isso. Alguém que já tirou uma vida nesta noite e imagina que a próxima vá ser a minha.

Tudo começou com um simples trabalho de faxina. E agora pode terminar com meu sangue sendo limpo do chão do chalé.

Espero o clarão de outro relâmpago me mostrar o caminho, então avanço com cuidado na direção da cozinha. Não tenho um plano em mente, mas a cozinha contém armas em potencial. Lá tem um conjunto inteiro de facas; na falta de uma, até um garfo pode servir. Só com as mãos, não tenho a menor chance. Já com uma faca, minhas chances talvez sejam um pouco maiores.

A cozinha tem grandes janelas retangulares que deixam entrar um pouco mais de luz do que no restante do chalé. Minhas pupilas se dilatam no esforço de absorver o máximo possível de claridade. Cambaleio em direção à bancada, porém, após dar três passos sobre o linóleo, meus pés escorregam e me estatelo no chão, batendo o cotovelo com tanta força que surgem lágrimas nos meus olhos.

Embora, para ser sincera, eu já estivesse com lágrimas nos olhos.

Ao tentar me levantar outra vez, desorientada, me dou conta de que o piso da cozinha está molhado. Há o clarão de outro relâmpago, e baixo os olhos para a palma das mãos. Estão tingidas de vermelho. Não escorreguei numa poça d'água nem em leite derramado.

Escorreguei em sangue.

Fico sentada por um instante enquanto analiso meu corpo. Nada dói. Sigo ilesa. Isso significa que o sangue não é meu.

Pelo menos, não *ainda*.

Anda. Sai daí agora. É sua única chance.

Dessa vez, consigo ficar de pé. Chego à bancada da cozinha e dou um suspiro de alívio quando meus dedos fazem contato com a superfície dura e fria. Tateio em busca do faqueiro, mas não o encontro. *Onde* ele foi parar?

E é então que ouço passos se aproximando. É difícil avaliar, especialmente estando tudo tão escuro, mas tenho quase certeza de que agora tem mais alguém comigo na cozinha. Todos os pelos da minha nuca se eriçam quando um par de olhos se crava em mim.

Não estou mais sozinha.

Sinto um peso no estômago. Eu tinha tomado uma decisão muito ruim. Subestimei uma pessoa extremamente perigosa.

E agora vou pagar muito caro.

PARTE I

UM
MILLIE

Três meses antes

Depois de uma hora esfregando, a cozinha de Amber Degraw fica praticamente imaculada.

Levando em conta que, até onde sei, Amber parece fazer quase todas as refeições em restaurantes do bairro, aquele esforço não me parece muito necessário. Se fosse para apostar, eu diria que ela nem sequer sabe ligar aquele forno chique. A mulher tem uma cozinha lindíssima, gigantesca, cheia de aparelhos que provavelmente nunca usou. Tem uma panela de pressão elétrica, uma panela de arroz, uma air fryer e até um negócio chamado *desidratador*. Parece um pouco contraditório alguém que tem oito tipos de hidratante diferentes no banheiro ter também um desidratador, mas longe de mim julgar.

Tá, eu julgo *um pouco*.

Mesmo assim, esfreguei com todo o cuidado cada um desses aparelhos nunca usados, limpei a geladeira, guardei vários itens de louça e passei o esfregão no piso até ele ficar reluzente a ponto de eu quase enxergar meu reflexo. Neste momento, tudo que preciso fazer é guardar a última leva de roupa lavada e a cobertura dos Degraws estará oficialmente tinindo de limpa.

– Millie! – A voz ofegante de Amber adentra flutuando pela cozinha, e seco um pouco de suor da testa com as costas da mão. – Millie, *cadê você?*

– Tô aqui! – respondo alto.

Mas é bem óbvio onde estou. Apesar de grande, a cobertura, que unificou duas unidades contíguas para formar um superapartamento, não é *tão* grande assim. Se eu não estiver na sala, é quase certeza que estou na cozinha.

Amber entra no cômodo com o visual impecavelmente elegante de sempre, usando um de seus muitos, *muitos* vestidos de marca. O desse dia tem estampa zebrada, um decote em V bem cavado e mangas que se estreitam ao chegar nos pulsos finos. Ela combinou o vestido com botas também zebradas e, embora esteja linda de morrer como sempre, uma parte minha não sabe muito bem se eu deveria elogiá-la pela produção ou caçá-la num safári.

– Ah, aí está você! – exclama ela com um quê de acusação na voz, como se eu não estivesse exatamente onde deveria.

– Já tô acabando – respondo. – Falta só pegar a roupa limpa e…

– Na verdade, vou precisar que você fique – diz Amber, me cortando.

Eu me encolho por dentro. Trabalho como faxineira para Amber duas vezes por semana, mas também faço outras coisas para ela, entre as quais cuidar de sua filha Olive, de 1 ano e 7 meses. Tento ser flexível porque o pagamento é sensacional, mas ela não é muito boa em pedir as coisas com antecedência. A sensação que tenho é de que todos os meus trabalhos de babá para ela são apenas em caso de extrema necessidade. E, pelo visto, só é necessário me informar vinte minutos antes.

– Eu tenho pedicure – explica ela, com tanta seriedade quanto se estivesse me informando que está indo para o hospital fazer uma operação no coração. – Preciso que dê uma olhadinha na Olive até eu voltar.

Olive é um doce de menina. Não me incomodo de jeito nenhum em dar uma olhadinha nela… na maior parte do tempo. Na verdade, em algumas ocasiões eu inclusive agarraria sem nem pestanejar a oportunidade de fazer por merecer o pagamento por hora exorbitante feito por Amber, que me permite pagar meu aluguel e me alimentar com comida que não tenha sido catada numa caçamba de lixo. Só que, nesse dia, não dá.

– Eu tenho aula daqui a uma hora.

– Ah.

Amber franze o cenho, então logo volta a deixar a expressão impassível. Na última vez que vim aqui, ela me contou que tinha lido uma matéria em que dizia que sorrir e enrugar a testa são as duas maiores causas de rugas, por isso vem tentando manter a expressão o mais neutra possível em todas as situações.

– Você não tem como faltar? – insiste ela. – As aulas não ficam gravadas? Ou não tem alguma transcrição que você possa pegar depois?

Não, não tem. Além do mais, já faltei a duas aulas nos últimos quinze dias por causa dos seus pedidos de última hora para ficar com a filha dela. Estou tentando me formar na faculdade e preciso tirar uma nota decente nessa matéria. E, de toda forma, eu gosto dessa disciplina. Psicologia social é algo divertido e interessante. E tirar a média nela é crucial para obter o meu diploma.

– Eu não pediria se não fosse importante – diz Amber.

A definição dela de "importante" talvez não seja a mesma que a minha. Para mim, "importante" é me formar na faculdade e tirar meu diploma de serviço social. Não sei ao certo como uma ida à pedicure poderia ser igualmente importante. Tipo, nós ainda estamos no final do inverno. Ninguém vai *ver* os pés dela tão cedo.

– Amber… – começo a dizer.

Bem nessa hora, um choro agudo irrompe na sala. Embora eu não esteja cuidando de Olive oficialmente nesse dia, em geral fico de olho nela sempre que estou no apartamento. Amber leva a filha para brincar com um grupo de amiguinhos três vezes por semana e no restante do tempo parece empenhada em inventar maneiras de arrumar outra pessoa para ficar com a menina. Já reclamou comigo que o Sr. Degraw não a deixa contratar uma babá em tempo integral pelo fato de ela própria não trabalhar, então Amber monta um esquema com uma série de babás freelancers, das quais a principal sou eu. De toda forma, Olive estava no cercadinho quando comecei a faxina, e fiquei na sala com ela até o ronco do aspirador a fazer pegar no sono.

– Millie – diz Amber num tom incisivo.

Dou um suspiro e largo a esponja que estava segurando, esponja essa que parece ter se fundido à minha mão ultimamente. Lavo as mãos na pia, e em seguida as enxugo na calça jeans.

– Já estou indo, Olive! – aviso, a voz mais alta.

Quando entro na sala de novo, vejo que Olive conseguiu se equilibrar em pé na lateral do cercadinho e está chorando com tamanho desespero que seu rostinho redondo ficou vermelho vivo. Ela é o tipo de bebê que se poderia encontrar na capa de uma revista infantil. É o retrato perfeito de um anjinho, linda até o último fio dos cabelos loiros e macios, nesse instante grudados do lado esquerdo da cabeça por causa do cochilo que acabou de tirar. No momento, não se parece tanto assim com um anjinho, mas, ao me ver, na mesma hora levanta os braços e os soluços diminuem.

Estendo as mãos para dentro do cercado e a pego no colo. Ela afunda o rostinho molhado no meu ombro, e não me sinto tão mal assim em faltar à aula se for preciso. Não sei o que é, mas, assim que fiz 30 anos, foi como se algum interruptor dentro de mim tivesse sido acionado para me fazer achar bebês a coisa mais fofa de todo o universo. Adoro ficar com Olive, embora ela não seja o *meu* bebê.

– Eu te agradeço demais, Millie – diz Amber, já vestindo o casaco e pegando sua bolsa Gucci no cabide ao lado da porta. – E meus dedos dos pés também, pode acreditar.

Tá, tá bom.

– A que horas você volta?

– Não vou demorar muito – garante ela, o que ambas sabemos ser uma mentira descarada. – Afinal, sei que minha princesinha vai ficar com saudades de mim!

– Claro – murmuro.

Enquanto Amber revira a bolsa à procura das chaves, do celular ou da base facial, Olive se aconchega mais junto a mim. Ela ergue o rosto redondo e me abre um sorriso com seus quatro dentinhos minúsculos.

– Ma-mã – declara ela.

Ainda com a mão dentro da bolsa, Amber congela. É como se o tempo tivesse parado.

– O que *foi* que ela falou?

Ai, não.

– Ela falou… Millie?

Alheia ao problema que está causando, Olive torna a sorrir para mim e balbucia, dessa vez mais alto:

– Mamã!

O rosto de Amber fica todo cor-de-rosa por baixo da base.

– Ela por acaso acabou de chamar você de *mamã*?

– Não…

– Mamã! – grita Olive, toda feliz.

Ai, meu Deus, menina, dá pra parar com isso?

Amber joga a bolsa em cima da mesa de centro, o rosto contorcido numa máscara de raiva que é bem capaz de lhe causar algumas rugas.

12

– Você anda dizendo pra Olive que é a mãe dela?

– Não! Eu falo pra ela que meu nome é Millie. *Millie.* Com certeza, ela só deve ficar confusa, já que sou eu que…

Os olhos de Amber se arregalam.

– Já que você passa mais tempo com ela do que eu? É isso que você ia dizer?

– Não! Claro que não!

– Você tá dizendo que eu sou uma *mãe ruim*?

Amber dá um passo na minha direção, e Olive faz uma cara alarmada.

– Você se acha mais mãe da minha filhinha do que eu?

– Não! Eu nunca…

– *Então por que anda dizendo a ela que a mãe dela é você?*

– Eu não ando dizendo isso! – retruco, percebendo que minha remuneração exorbitante de babá está indo pelo ralo. – Juro que não. *Millie*, é só isso que digo pra ela. É que pra ela o som deve ser parecido com mamã, só isso. Os dois começam com M.

Amber inspira bem fundo para se acalmar. Em seguida, dá outro passo na minha direção.

– Me dá meu bebê.

Mas Olive não facilita as coisas. Ao ver a mãe vindo na sua direção com os braços estendidos, ela se agarra com mais força ainda ao meu pescoço.

– Mamã! – exclama a menina, soluçando no meu cangote.

– Olive – murmuro. – Eu não sou sua mamã. Sua mamã é *aquela ali.*

Aquela ali prestes a me pôr no olho da rua se você não me soltar.

– Isso não é justo! – reclama Amber. – Eu amamentei ela por mais de uma semana! Isso por acaso não vale nada?

– Eu sinto muito…

Por fim, Amber arranca Olive do meu colo enquanto a menina se esgoela.

– Mamã! – grita ela, com os bracinhos rechonchudos estendidos para mim.

– Ela não é sua mãe! – diz Amber, repreendendo a neném. – A sua mãe sou eu. Você quer ver as estrias? Essa mulher *não é* sua mãe.

– Mamã! – choraminga a menina.

– Millie – corrijo. – *Millie.*

Mas que diferença faz? Ela não precisa saber meu nome porque, depois disso, nunca mais vou ter permissão para pôr os pés nesta casa. Estou no olho da rua *mesmo*.

DOIS

Durante a caminhada da estação de trem até meu apartamento de um quarto no sul do Bronx, mantenho um dos braços pressionado com força em volta da bolsa e o outro segurando a lata de spray de pimenta que levo no bolso, mesmo em plena luz do dia. Neste bairro, todo cuidado é pouco.

Nesse dia, me sinto sortuda por ter ao menos meu apartamentozinho no meio de um dos bairros mais perigosos de Nova York. Se não arrumar logo outro emprego para substituir a renda que acabei de perder depois de Amber Degraw me mandar embora (sem se oferecer para me dar uma carta de recomendação), o melhor que eu poderia esperar é uma caixa de papelão na rua em frente ao prédio de tijolos decrépito no qual moro no momento.

Se não tivesse decidido fazer faculdade, a essa altura talvez tivesse conseguido juntar algum dinheiro. Mas eu, burra, decidi tentar me aprimorar.

Ao percorrer o último quarteirão até meu prédio, meus tênis chiam quando piso num trecho molhado da calçada. Tenho a sensação de que alguém está atrás de mim, me seguindo. É claro que ando sempre muito alerta por aqui. Mas há momentos em que tenho a forte sensação de ter atraído o tipo errado de atenção.

Nesse momento, por exemplo, além do arrepio na nuca, ouço passos atrás de mim. Parecem estar ficando mais altos conforme avanço. Quem quer que se encontre no meu encalço está chegando mais perto.

Só que não me viro. Tudo o que faço é segurar com mais força meu casaco preto sóbrio e apressar o passo, passando por um Mazda preto com a lanterna dianteira direita rachada, por um hidrante vermelho vazando água pela rua inteira, até que por fim subo os cinco degraus de concreto irregulares até a entrada do meu prédio.

Já estou com as chaves na mão. Ao contrário do prédio residencial chique dos Degraws no Upper West Side, o meu não tem porteiro. Há um interfone e uma chave para abrir a porta. Quando me alugou o apartamento, a proprietária, Sra. Randall, me deu um sermão bem sério sobre não deixar ninguém entrar atrás de mim. *É um ótimo jeito de ser assaltada ou estuprada.*

Quando estou encaixando a chave na fechadura, que sempre parece agarrar, os passos tornam a ficar mais altos. Um segundo depois, uma sombra se avulta ao meu lado, e não tenho mais como ignorá-la. Ergo os olhos e identifico um homem de 20 e poucos anos, usando um casaco preto e com os cabelos escuros levemente úmidos. Ele parece vagamente familiar, sobretudo por causa da cicatriz acima da sobrancelha esquerda.

– Eu moro no segundo andar – lembra ele ao ver a hesitação no meu rosto. – No 2C.

– Ah – respondo, embora não fique muito animada em deixá-lo entrar.

O homem saca um molho de chaves do bolso e as sacode na minha frente. Uma delas tem as mesmas marcações que a minha.

– 2C – repete ele. – Bem debaixo de você.

Enfim cedo e dou um passo para dentro, de modo a permitir que o homem da cicatriz entre no prédio, considerando que, se ele quisesse, seria fácil me empurrar e entrar. Sigo na frente e vou subindo devagar os degraus, um de cada vez, enquanto me pergunto como diabos vou pagar o aluguel do mês seguinte. Preciso de um emprego, e preciso agora. Tive um bico de bartender por um tempinho, e fui burra ao abrir mão dele, já que cuidar de Olive pagava bem melhor e os horários de última hora tornavam difícil acomodar o segundo emprego. Além disso, não é fácil para alguém como eu arrumar outro emprego. Não com o meu histórico.

– Que tempo bom tem feito, né? – comenta o homem da cicatriz, que está subindo a escada um degrau atrás de mim.

– Ahã – respondo.

A última coisa que quero agora é falar do tempo.

– Ouvi dizer que vai nevar outra vez semana que vem – acrescenta ele.

– Ah, é?

– É. Previram vinte centímetros. Pra fechar o inverno.

Nem consigo mais tentar fingir interesse. Quando chega ao segundo andar, o homem me abre um sorriso.

– Bom dia pra você então – diz ele.

– Pra você também – balbucio.

Enquanto ele segue pelo corredor até o próprio apartamento, não consigo parar de pensar no que me disse quando o deixei entrar. *2C. Bem debaixo de você.*

Como ele sabe que eu moro no 3C?

Faço uma careta e subo um pouco mais depressa a escada até meu apartamento. Já estou com a chave pronta outra vez e, assim que entro, bato a porta com força, giro a fechadura e passo o trinco. É provável que esteja dando muita importância ao comentário dele, mas todo cuidado é pouco. Principalmente quando se mora no sul do Bronx.

Minha barriga ronca, porém, mais do que comida, estou louca é por um banho quente. Certifico-me de que a persiana esteja abaixada antes de tirar a roupa e pular debaixo do chuveiro. Sei por experiência própria que há um limite tênue entre a água sair pelando ou gelada. Desde que comecei a morar aqui, já virei especialista em ajustar a temperatura. Mas a água pode esfriar ou esquentar quase dez graus numa fração de segundo, de modo que não me demoro muito no chuveiro. Só preciso tirar um pouco da sujeira do corpo. Depois de um dia inteiro andando pela cidade, fico sempre coberta por uma camada de pó preto. Detesto pensar em como devem estar meus pulmões.

Não consigo acreditar que perdi aquele emprego. Amber confiava tanto em mim. Pensei que estivesse segura pelo menos até Olive entrar no jardim de infância, talvez mais. Estava quase começando a me sentir confortável, como se tivesse um emprego fixo e uma renda com a qual pudesse contar.

Agora tenho que procurar outra coisa. Talvez vários outros empregos para substituir aquele. E não é tão fácil para mim quanto para a maioria das outras pessoas. Não posso exatamente colocar um anúncio num dos aplicativos mais usados de babás porque todos exigem uma verificação de antecedentes. E, assim que isso acontecer, qualquer perspectiva de trabalho para mim irá por água abaixo. Ninguém quer uma pessoa como eu trabalhando dentro de casa.

No momento, estou meio sem referências. Porque, por um tempo, os trabalhos de faxina que eu pegava não eram exatamente só faxina. Eu costumava prestar outro serviço para várias das famílias cujas casas limpava. Só que não faço mais isso. Já faz muitos anos.

Bom, de nada adianta ficar remoendo o passado. Não quando o futuro parece tão sombrio.

Pare de sentir pena de si mesma, Millie. Você já esteve em situações piores do que essa e conseguiu se virar.

A temperatura do chuveiro despenca do nada, e dou um grito involuntário. Estendo a mão para o registro e desligo a água. Consegui uns bons dez minutos. Melhor até do que eu esperava.

Eu me enrolo no roupão de banho sem me dar ao trabalho de calçar os chinelos. Vou deixando pegadas molhadas até a cozinha, que não passa de um puxadinho da sala. No superapartamento dos Degraws, a cozinha, a sala de estar e a de jantar eram três espaços distintos. Mas, no meu, eles fundiram tudo num único cômodo, que, por ironia, é bem menor do que qualquer um dos cômodos da residência dos Degraws. Até o banheiro deles é maior do que toda a área de estar do meu apartamento.

Ponho água para ferver no fogão. Não sei o que vou fazer para o jantar, mas provavelmente a refeição vai envolver algum tipo de massa fervida em água, seja um ramen, um espaguete ou um macarrão parafuso. Estou examinando minhas opções quando ouço batidas na porta.

Hesito, apertando o cinto do roupão em volta da cintura. Tiro uma caixa de espaguete do armário.

– Millie! – A voz atrás da porta soa abafada. – Millie, me deixa entrar!

Faço uma careta. Ah, não.

Então:

– Eu sei que você tá aí!

TRÊS

Não tenho como ignorar a pessoa que está batendo na porta.

Meus pés deixam um rastro de pegadas molhadas quando atravesso os poucos metros até a porta. Aproximo o rosto do olho mágico. Há um homem parado em frente à minha porta, os braços cruzados diante dos bolsos do terno Brooks Brothers.

– Millie. – A voz agora é um rosnado baixo. – Me deixa entrar. *Agora.*

Dou um passo para trás, me afastando da porta. Por um instante, pressiono as têmporas com a ponta dos dedos. Mas é inevitável: preciso deixar aquele homem entrar. Então, estendo a mão, solto o trinco, giro a fechadura e, com todo o cuidado, abro uma fresta na porta.

– Millie. Qual é, hein?

Ele empurra a porta para abri-la até o fim e entra na minha casa. Seus dedos se fecham em volta do meu braço.

Meus ombros afundam.

– Foi mal, Brock.

Brock Cunningham, meu namorado há seis meses, me encara.

– A gente tinha ficado de jantar hoje. Você não apareceu. E não estava respondendo às mensagens nem atendendo o celular.

Ele está coberto de razão. Devo ser mesmo a pior namorada de todos os tempos. Brock e eu tínhamos ficado de nos encontrar num restaurante em Chelsea depois da minha aula hoje, mas, após ser demitida, como mal conseguia me concentrar na aula – e com certeza não estava a fim de jantar fora –, acabei indo direto para casa. Mas sabia que, se ligasse para o Brock e lhe dissesse que não queria ir, ele teria se sentido compelido a me convencer. E, por ser advogado, ele é superconvincente. Então eu tinha o plano de lhe mandar uma mensagem cancelando o jantar, mas fiquei adiando, e estava tão ocupada sentindo pena de mim mesma que depois esqueci completamente.

Como já falei, a pior namorada de todos os tempos.

– Me desculpa – repito.

– Fiquei *preocupado* com você – argumenta ele. – Achei que alguma coisa horrível pudesse ter te acontecido.

– Por quê?

Uma sirene ensurdecedora dispara bem do lado de fora da janela, e Brock me olha como se eu tivesse feito uma pergunta muito ridícula. Sinto uma fisgada de culpa. Brock devia ter milhões de coisas para fazer esta noite, e não só o fiz me esperar no restaurante feito um idiota, como agora ele desperdiçou o resto da noite indo até o sul do Bronx para se certificar de que eu estava bem.

No mínimo, eu lhe devo uma explicação.

– A Amber Degraw me demitiu. Então basicamente eu tô ferrada.

– Sério?

As sobrancelhas dele pulam para cima. Brock tem as sobrancelhas mais perfeitas que já vi num homem, e estou convencida de que deve fazê-las com um profissional, mas ele não admite uma coisa dessas.

– Demitiu por quê? – pergunta ele. – Achei que você tivesse dito que sem você ela não dava conta. Você falou que estava praticamente criando a filha dela.

– Justamente – respondo. – A filha dela não parou de me chamar de mamã, e a Amber surtou.

Brock passa alguma segundos me encarando, e então, inesperadamente, começa a rir. No começo, fico ofendida. Acabei de perder o emprego. Será que ele não entende como isso é péssimo?

Mas então, um segundo depois, me pego rindo também. Jogo a cabeça para trás e rio do ridículo da situação. Penso em Olive estendendo os braços para mim e soluçando "mamã" enquanto Amber ficava cada vez mais irada. No final, achei mesmo que ela fosse acabar tendo um aneurisma.

Um minuto depois, estamos ambos enxugando lágrimas dos olhos. Brock passa os braços ao meu redor e me puxa mais para perto, não mais zangado por eu ter lhe dado um bolo. Ele não se chateia com facilidade. A maioria das pessoas incluiria isso na lista de qualidades dele, embora haja ocasiões em que eu gostaria que Brock demonstrasse um pouco mais de paixão.

De modo geral, porém, estamos no melhor momento do nosso relacionamento. Seis meses. Existe momento melhor numa relação do que seis meses? De verdade, não sei, porque essa é só a segunda vez que cheguei a esse marco. Mas, para mim, seis meses parecem ser aquele período perfeito, no qual a cerimônia do início de namoro já passou, mas cada um continua a mostrar ao outro o seu melhor lado.

Por exemplo, Brock é um advogado bonitão de 32 anos e de boa família. Parece quase perfeito. Tenho certeza de que ele tem hábitos problemáticos, mas não sei quais são. Vai ver ele tira cera de ouvido com o dedo e depois passa na bancada da cozinha ou no sofá. Ou vai ver ele *come* a cera de ouvido. O que quero dizer é que existem vários hábitos ruins que ele pode ter sobre os quais nada sei, e alguns deles talvez nem sequer envolvam cera de ouvido.

Bom, ele tem sim *uma* imperfeição. Apesar do fato de ser um cara jovem e forte, cujo rosto corado transborda saúde, ele na verdade tem uma doença cardíaca que desenvolveu na infância. Mas isso não parece afetá-lo em nada. Ele toma um comprimido por dia, e a coisa parece parar por aí. Só que o comprimido é importante o suficiente para ele ter um frasco reserva no meu armário de remédios. E a doença e a incerteza em relação à sua expectativa de vida o tornaram um pouco mais ansioso para formar uma família do que a maioria dos caras.

– Deixa eu te levar pra jantar – diz Brock. – Quero te animar um pouco.

Faço que não com a cabeça.

– Eu só quero ficar em casa chorando as pitangas mesmo. E depois, quem sabe, procurar uns empregos na internet.

– A essa hora? Só faz algumas horas que você perdeu o emprego. Não pode esperar pelo menos até amanhã?

Ergo os olhos e o fuzilo com o olhar.

– Tem gente que precisa de dinheiro pra pagar o aluguel.

Ele assente devagar.

– Tá, mas e se você não precisasse se preocupar com o aluguel?

Tenho uma sensação ruim de saber o rumo que a conversa está tomando.

– Brock...

– Sério, Millie, por que você não quer vir morar comigo? – pergunta ele, franzindo o cenho. – Eu tenho um apartamento de dois quartos com vista para o Central Park, num prédio onde ninguém vai cortar sua garganta durante a noite. E você já vai lá o tempo todo mesmo...

Não é a primeira vez que ele sugere que eu vá morar com ele, e não posso acusá-lo de não ser convincente. Se eu fosse morar com Brock, passaria a levar uma vida de luxo sem ter que pagar um tostão por isso. Ele nem sequer me deixaria contribuir se eu quisesse. Poderia me concentrar em terminar a faculdade para poder virar assistente social e fazer alguma coisa de bom no mundo. A decisão parece óbvia.

Só que toda vez que cogito responder sim, uma vozinha no fundo da minha cabeça grita: "*Não faça isso!*".

A voz dentro da minha cabeça é tão convincente quanto a de Brock. Existem vários bons motivos para ir morar com ele, mas um único bom motivo para não ir. Ele não faz ideia de quem eu sou de verdade. Ainda que ele de fato coma a cera do próprio ouvido, os meus segredos são bem piores.

Então, aqui estou eu, na relação mais normal e saudável de toda a minha vida adulta, e pareço decidida a ferrar tudo. Mas meio que estou num beco sem saída. Se lhe contar a verdade sobre meu passado, ele talvez termine comigo, e não quero isso. Porém, se eu não contar...

De uma forma ou de outra, ele vai descobrir tudo. Só que não estou pronta para isso.

– Desculpa – digo. – Como já falei, preciso do meu próprio espaço no momento.

Brock abre a boca para protestar, mas então muda de ideia. Ele me conhece bem o suficiente para saber até que ponto posso ser teimosa. Viu? Ele já está descobrindo alguns dos meus piores defeitos.

– Pelo menos me diz que vai pensar no assunto.

– Vou pensar no assunto – minto.

QUATRO

Vou fazer minha décima entrevista de emprego nas últimas três semanas, e estou começando a ficar nervosa.

Não tenho dinheiro na conta nem para pagar um mês de aluguel. Sei que se deve ter uma reserva de emergência de seis meses no banco, mas isso funciona melhor na teoria do que na prática. Adoraria ter uma reserva de seis meses no banco. Droga, adoraria de ter uma de *dois* meses. Em vez disso, meu saldo não chega nem a 200 dólares.

Não sei o que fiz de errado nas outras nove entrevistas para cargos de faxineira ou babá. Uma das mulheres me garantiu de cara que planejava me contratar, mas isso já tem uma semana e não ouvi um pio dela. Nem de nenhuma das outras. Imagino que ela tenha verificado meus antecedentes e pronto, foi isso.

Se eu fosse qualquer outra pessoa, poderia simplesmente entrar em algum tipo de prestadora de serviços de limpeza e não teria que passar por esse processo todo. Só que nenhum desses serviços quer me contratar. Já tentei. As verificações de antecedentes tornam isso impossível: ninguém quer uma pessoa com ficha criminal dentro de casa. É por isso que coloco anúncios na internet e cruzo os dedos.

Tampouco estou muito esperançosa para a entrevista de hoje. Marquei de encontrar um homem chamado Douglas Garrick, que mora num prédio no Upper West Side, logo a oeste do Central Park. É um daqueles edifícios góticos com torretas que se destacam entre os outros prédios. Esse dá a vaga sensação de que deveria estar cercado por um fosso e sendo vigiado por um dragão, em vez de ser um lugar no qual se pode entrar direto da rua.

Um porteiro de cabelos brancos segura a porta da frente para mim enquanto leva a mão ao quepe preto. Quando lhe abro um sorriso, mais uma vez tenho a sensação de arrepio na nuca. Como se alguém estivesse me vigiando.

Desde aquela noite em que fui para casa depois de ser demitida, já tive essa sensação várias vezes. Ela faz sentido no sul do Bronx, onde moro, e onde provavelmente existem ladrões em cada esquina só esperando para surgir se eu parecer ter algum dinheiro, mas não ali. Não num dos bairros mais ricos de Manhattan.

Antes de entrar no prédio, eu me viro para espiar às minhas costas. Há dezenas de pessoas passando na rua, mas nenhuma delas está prestando atenção em mim. Existem várias pessoas singulares e interessantes andando por Manhattan, e eu não sou uma delas. Não existe motivo nenhum para alguém estar me encarando.

É então que vejo o carro.

É um sedã preto da Mazda. Deve haver milhares de carros iguaizinhos a esse na cidade, mas quando olho para ele tenho uma estranha sensação de *déjà-vu*. Levo um instante para entender por quê. O carro está com a lanterna dianteira direita rachada. Tenho certeza de ter visto um Mazda preto com a lanterna da frente direita rachada estacionado perto do meu prédio, no sul do Bronx.

Ou não?

Espio pelo para-brisa. O carro está vazio. Baixo os olhos para olhar a placa. É de Nova York; nada de mais nisso. Levo alguns instantes para decorá-la: 58F321. A placa não significa nada para mim, mas, se eu tornar a vê-la, vou me lembrar.

– Moça? – chama o porteiro, me despertando do meu transe. – Vai querer entrar?

– Ah. – Dou uma tossida dentro da mão fechada. – Vou. Vou sim, me desculpe.

Entro na portaria do prédio. Em vez de luzes no teto, ela é iluminada por candelabros e arandelas de parede feitas para imitar tochas. O pé-direito baixo se curva para formar uma cúpula, o que me dá a leve sensação de estar entrando num túnel. Obras de arte adornam as paredes, todas elas provavelmente de valor inestimável.

– A senhorita veio ver quem? – pergunta o porteiro.

– Os Garricks. Apartamento 20A.

– Ah. – Ele me dá uma piscadela. – A cobertura.

Ah, que ótimo... uma família que mora numa cobertura. Por que estou perdendo meu tempo desse jeito?

Depois de o porteiro avisar lá em cima e confirmar minha hora marcada, ele tem que entrar no elevador e inserir uma chave especial para eu poder subir até a cobertura. Após as portas do elevador se fecharem, dou uma conferida rápida na minha aparência. Ajeito meus cabelos loiros, que prendi num coque simples. Estou usando minha melhor calça preta e um colete de lã. Começo a ajeitar os peitos, mas aí percebo que o elevador tem câmera e prefiro não dar um show para o porteiro.

As portas do elevador dão direto no hall da cobertura dos Garricks. Ao sair da cabine, inspiro bem fundo e quase posso *sentir* o cheiro da riqueza no ar. É uma combinação de perfume caro e notas novas de 100 dólares. Passo um instante parada no hall, em dúvida se devo sair dali sem ser formalmente recebida, então, em vez de entrar, concentro minha atenção num pedestal branco sobre o qual há uma estátua cinza, na realidade apenas uma grande pedra lisa vertical, daquelas que se poderia encontrar em qualquer parque da cidade. Apesar disso, ela provavelmente vale mais do que qualquer outra coisa que eu já tenha possuído.

– Millie? – Ouço a voz segundos antes de o homem se materializar no hall. – Millie Calloway?

Foi o Sr. Garrick quem me chamou para a entrevista de hoje. É incomum o homem da casa telefonar. Quase cem por cento de meus empregadores principais no ramo das faxinas são mulheres. Mas o Sr. Garrick parece animado ao me cumprimentar. Entra depressa no hall, com um sorriso nos lábios e a mão já estendida.

– Sr. Garrick?

– Por favor, me chame de Douglas – diz ele, ao mesmo tempo que a mão forte aperta a minha.

Douglas Garrick parece exatamente o tipo de homem que moraria numa cobertura no Upper West Side. Tem 40 e poucos anos e aquele tipo de beleza clássica, com os traços bem definidos. Está usando um terno de aspecto bem caro, e seus cabelos castanho-escuros são lustrosos e ostentam um corte e um penteado também caros. Os olhos castanhos bem fundos são astutos e fazem a dose certa de contato visual com os meus.

– Prazer... Douglas – respondo.

– Muito obrigado por ter vindo hoje. – Douglas Garrick me lança um breve sorriso de agradecimento enquanto me conduz até a sala ampla. – Em geral, quem cuida da casa é minha esposa, Wendy... Ela se orgulha de tentar fazer tudo sozinha. Mas, como ela não anda se sentindo bem, eu insisti para arrumar alguém para ajudar.

A última afirmação dele me soa estranha. Mulheres que moram em coberturas imensas como aquela não costumam "tentar fazer tudo" sozinhas. Em geral, mulheres como essas têm empregadas para suas empregadas.

– Claro – respondo. – Você comentou que estava precisando de alguém para cozinhar e limpar...?

Ele assente.

– O básico dos cuidados com a casa: espanar, arrumar e lavar a roupa, claro. E também fazer comida algumas noites por semana. Acha que isso seria um problema?

– De forma alguma – respondo. Estou disposta a aceitar praticamente qualquer coisa. – Tenho feito faxina em apartamentos e casas há muitos anos. Posso trazer meu próprio material de limpeza e...

– Não, não vai ser necessário – interrompe Douglas. – A minha esposa... Wendy é muito meticulosa em relação ao material de limpeza. Ela é sensível a odores, entende? Eles servem de gatilho para os sintomas dela. É preciso usar nossos produtos de limpeza especiais, senão...

– Compreendo – digo. – Como vocês preferirem.

– Maravilha. – Os ombros dele relaxam. – E precisaríamos que você começasse imediatamente.

– Não tem problema.

– Ótimo, ótimo. – Douglas dá um sorriso como quem pede desculpas. – Porque, como pode ver, isso aqui está meio bagunçado.

Ao entrar na sala, avalio o entorno. Assim como o restante do edifício, aquela cobertura me dá a sensação de ter sido transportada para o passado. Tirando o lindíssimo sofá de couro, a maioria dos móveis parece ter sido fabricada centenas de anos atrás e então congelada no tempo de modo a ser especialmente transportada até aquela sala. Se eu soubesse mais sobre decoração de interiores, talvez pudesse assinalar também que a mesa de centro foi entalhada à mão no início do século XX, ou então que a cristaleira veio, sei lá, do período neoclássico renascentista francês ou algo do tipo. Tudo que posso dizer com certeza é que cada peça custou uma pequena fortuna.

E outra coisa de que estou certa é que o apartamento não está bagunçado. Pelo contrário. Se eu tivesse de começar a limpar, nem sei direito o que faria. Precisaria de um microscópio para encontrar um grão de poeira.

– Terei prazer em começar quando vocês quiserem – digo com cuidado.

– Maravilha. – Douglas aprova com um meneio de cabeça. – Fico muito feliz em ouvir isso. Por que não se senta para podermos conversar mais um pouco?

Sento-me ao seu lado no sofá de canto e afundo bastante no couro macio. Meu Deus, isso é a coisa mais agradável que já encostou na minha pele. Eu poderia largar Brock e simplesmente me casar com este sofá, e todas as minhas necessidades seriam atendidas.

Douglas me encara atentamente com seus olhos fundos por baixo de um par de grossas sobrancelhas castanho-escuras.

– Então, Millie, me fale de você.

Gosto de cara do fato de a voz dele não conter nenhum tom de flerte. Seus olhos se mantêm respeitosamente cravados nos meus e não se desviam para baixo em direção aos meus seios ou às minhas pernas. Uma única vez me envolvi com um patrão, e esse é um caminho que *nunca*, nunca mais vou seguir. Preferiria arrancar meus próprios dentes com um alicate.

– Bom. – Pigarreio para limpar a garganta. – No momento, estou cursando a faculdade. Quero ser assistente social, mas, enquanto isso, estou pagando eu mesma meus estudos.

– Que louvável. – Ele sorri, exibindo uma fileira de dentes brancos e retos. – E você sabe cozinhar?

Aquiesço.

– Cozinhei para muitas das famílias para as quais trabalhei. Não sou profissional, mas já fiz algumas aulas. E eu também… – Olho em volta, mas não consigo ver nenhum brinquedo ou sinal de que alguma criança more ali. – Também trabalho como babá.

Douglas se retrai.

– Não vamos precisar disso.

Faço uma careta e amaldiçoo minha língua comprida. Ele nunca mencionou nenhum serviço de babá. Provavelmente o fiz recordar algum problema de infertilidade horroroso.

– Desculpe.

Ele dá de ombros.

– Sem problemas. Que tal conhecer o apartamento?

A cobertura dos Garricks dá de mil no superapartamento de Amber. O lugar é um tipo *inteiramente* distinto de apartamento. A sala tem o tamanho de uma piscina olímpica, no mínimo. O canto abriga um bar com meia dúzia de banquetas vintage dispostas em volta. Apesar do tema antiquado da sala, a cozinha tem todos os utensílios mais modernos, entre eles, tenho certeza, o melhor desidratador do mercado.

– Aqui deve ter tudo de que você precisa – comenta Douglas, dando um aceno que abarca a imensa área da cozinha.

– Parece perfeito – respondo, cruzando os dedos para o forno vir com alguma espécie de manual explicando a função de cada um das duas dúzias de botões no display.

– Excelente – diz ele. – Agora deixe eu lhe mostrar o segundo andar.

Segundo andar?

Apartamentos em Manhattan *não têm* segundo andar. Mas, pelo visto, este tem. Douglas me leva para fazer um tour pelo andar de cima e me conduz a pelo menos seis quartos. A suíte master é tão grande que preciso de um binóculo para ver a cama king size do outro lado do cômodo. Um dos quartos contém apenas livros, e isso me lembra a cena de *A bela e a fera* em que a Bela é levada até a biblioteca. Outro quarto parece ter uma parede cheia de almofadas. Imagino que seja o quarto das almofadas.

Depois de me levar até um cômodo com algo que deve ser uma lareira artificial, e no qual uma parede inteira é uma imensa janela com uma vista de tirar o fôlego dos edifícios de Nova York, chegamos a uma última porta. Com o punho preparado para bater, Douglas hesita.

– Este é o nosso quarto de hóspedes – explica ele. – É aqui que Wendy está se recuperando. Eu provavelmente deveria deixá-la descansar.

– Lamento saber que sua esposa está doente.

– Ela passou quase o nosso casamento inteiro doente – acrescenta ele. – Ela tem… uma doença crônica. Tem dias bons e outros ruins. Às vezes, está normal, e em outros dias, mal consegue se levantar da cama. E em outros…

– O quê?

– Nada. – Ele abre um sorriso fraco. – Enfim, se a porta estiver fechada, é só deixá-la em paz. Ela precisa descansar.

– Entendo totalmente.

Douglas passa um instante encarando a porta com uma expressão perturbada no rosto. Toca a porta com a ponta dos dedos, em seguida balança a cabeça.

– Então, Millie, quando pode começar?

CINCO

Em 1964, uma mulher chamada Kitty Genovese foi assassinada.

Kitty tinha 28 anos e era bartender. Foi estuprada e esfaqueada por volta das três da madrugada a cerca de trinta metros do seu apartamento no Queens. Ela gritou por socorro, mas, embora vários vizinhos a tenham ouvido gritar, ninguém foi socorrê-la. O agressor, Winston Moseley, deixou Kitty por um curto período e voltou dez minutos depois, quando a esfaqueou várias outras vezes e lhe roubou 50 dólares. Ela morreu em decorrência dos ferimentos.

– Kitty Genovese foi atacada, estuprada e assassinada na frente de 38 testemunhas – declara o professor Kindred para a sala de aula. – Trinta e oito pessoas viram o ataque, e nenhuma delas a ajudou nem chamou a polícia.

Nosso professor, um homem de 60 e poucos anos e cabelos que parecem estar sempre espetados, encara cada um de nós com um ar de acusação, como se fôssemos nós as 38 pessoas que deixaram aquela mulher morrer.

– Trata-se do efeito testemunha – explica ele. – É um fenômeno de psicologia social no qual os indivíduos têm menos probabilidade de prestar socorro a uma vítima quando há outras pessoas presentes.

Os alunos na sala de aula fazem anotações ou digitam em seus laptops. Eu só encaro o professor.

– Pensem nisso – diz o professor Kindred. – Mais de três dúzias de pessoas permitiram que uma mulher fosse estuprada e assassinada, e simplesmente ficaram olhando sem fazer nada. Isso demonstra com perfeição a diluição de responsabilidade num grupo.

Eu me remexo na cadeira, imaginando o que teria feito numa situação daquelas: se olhasse pela minha janela e visse um homem atacando uma mulher. De uma coisa tenho certeza: eu não ficaria sentada sem fazer nada. Seria até capaz de pular pela janela se fosse preciso.

Não. Pular, eu não pularia. Aprendi a me controlar para não chegar a tanto. Mas ligaria para a emergência. Sairia na rua e levaria uma faca. Não faria nada com ela, mas talvez bastasse para afugentar um agressor.

Saio da sala de aula ainda abalada, pensando naquela pobre moça morta mais de meio século atrás. Quando piso na rua, quase passo direto por Brock. Ele precisa correr atrás de mim e me segurar pelo braço.

Claro. A gente combinou de jantar.

– Oi.

Ele sorri para mim com os dentes mais brancos que já vi. Nunca lhe perguntei se ele os clareou com um profissional, mas deve ter feito isso. Dentes não têm como ser naturalmente tão brancos assim, não é humano.

– A gente vai comemorar hoje, né? O seu emprego novo.

– Ah, é. – Dou um jeito de sorrir. – Desculpa.

– Tá tudo bem?

– É só que eu… fiquei abalada com a aula que acabei de ter. O professor falou sobre uma mulher nos anos 1960 que foi estuprada na frente de 38 testemunhas que não fizeram nada. Como pode uma coisa dessas ter acontecido?

– Kitty Genovese, né? – Brock estala os dedos. – Eu me lembro de ouvir sobre ela na aula de psicologia da faculdade.

– Isso. Um horror.

– Mas essa história é uma conversa fiada. – Ele me dá a mão; sua palma está quente. – O *New York Times* fez o maior sensacionalismo com a notícia. Eram menos testemunhas do que o jornal noticiou. E, com base em onde ficavam os apartamentos, a maioria não conseguiu realmente ver o que estava acontecendo e achou que era só uma briga de namorados. E uma porção de gente ligou *sim* para a polícia. Acho que um dos vizinhos estava segurando a mulher no colo quando a ambulância chegou.

– Ah.

Eu me sinto ligeiramente desconfortável, como muitas vezes acontece quando Brock sabe mais sobre alguma coisa do que eu. Até onde sei, o cara está a par de tudo praticamente. Essa é uma das muitas coisas que o tornam tão perfeito.

– Mas essa história não é tão sensacional assim, né?

Brock solta minha mão e passa o braço em volta dos meus ombros. Por um instante, capto nosso reflexo na vitrine de uma loja e não consigo deixar de pensar que formamos um casal bonito. Parecemos o tipo de casal capaz de convidar quinhentas pessoas para o nosso casamento, depois ir morar numa casa com cerca de madeira branca, então enchê-la de crianças.

– De toda forma, você não deveria se sentir mal por causa de uma coisa que aconteceu décadas atrás. Você é... um tiquinho boa demais, sabia?

Sempre tive essa tendência a ajudar quem está com problemas. Infelizmente, isso às vezes causa problemas *para mim*. Quem me dera ser tão boa quanto Brock pensa que eu sou... Ele não faz ideia.

– Desculpa, não consigo evitar.

– Imagino que seja por isso que você queira ser assistente social. – Ele me dá uma piscadela. – A menos que eu consiga te convencer a escolher uma carreira mais bem-remunerada.

Meu último namorado foi quem me convenceu a seguir a carreira de assistente social; assim, eu poderia ajudar quem precisasse e ao mesmo tempo me manter dentro da lei. *Você tem essa necessidade de ajudar todo mundo, Millie. É o que eu amo em você.* Ele me entendia de verdade. Infelizmente, não está mais por aqui.

– Enfim – diz Brock, apertando meus ombros. – Não vamos pensar em mulheres assassinadas nos anos 1960. Me conta sobre o seu trabalho novo.

Eu o atualizo sobre os detalhes da impressionante cobertura dos Garricks. Quando falo sobre a vista, a localização e o segundo andar, ele dá um assobio.

– Esse apartamento deve ter custado uma nota – comenta enquanto atravessamos a rua.

Escapamos por um triz de sermos atingidos por uma bicicleta. Até onde sei, os ciclistas da cidade não prestam a menor atenção nos sinais de trânsito nem nos pedestres.

– Aposto que eles pagaram uns vinte milhões – continua Brock. – Por baixo.

– Nossa. Você acha?

– Com certeza. É melhor estarem te pagando bem.

– Estão, sim.

Quando Douglas falou sobre meu pagamento por hora, quase senti cifrões pipocando nos meus olhos.

– Como você disse que se chamava o cara que te contratou?

– Douglas Garrick.

– Ah, é o CEO da Coinstock. – Brock estala os dedos. – Eu já o encontrei quando ele contratou meu escritório para ajudar com uma patente. Um cara bem legal.

– É. Ele me pareceu simpático.

E pareceu mesmo. Só que não consigo parar de pensar naquela porta fechada no segundo andar. Na esposa que nem sequer saiu para me conhecer. Por mais animada que esteja com o trabalho, alguma coisa nele me incomoda.

– E sabe o que mais? – acrescenta Brock, me puxando para uma faixa de pedestres; o sinal está piscando, prestes a ficar vermelho, e conseguimos atravessar bem a tempo. – O prédio fica só a uns cinco quarteirões de onde eu moro.

Indireta, indireta.

É claro que eu sabia que a cobertura ficava perto da casa dele. Eu me remexo um pouco, me sentindo tão incomodada quanto na sala de aula. Brock virou um cachorro que não larga o osso. Ele quer que eu vá morar com ele e parece não desistir da ideia. E eu simplesmente não consigo me livrar da sensação de que, se ele realmente me conhecesse, não iria querer isso. Adoro estar com Brock e não quero estragar nosso namoro.

– Brock…

– Tá, tá bom. – Ele revira os olhos. – Olha, não quero te pressionar. Se você não tá pronta pra morar junto, tudo bem. Mas, só pra deixar registrado, eu acho que a gente forma um bom time. E você já passa metade das noites na minha casa mesmo, né?

– Ahã – respondo no tom mais neutro possível.

– Além do mais… – Ele me mostra os dentes muito brancos. – Meus pais gostariam de te conhecer.

Tá, é agora que eu passo mal. Embora ele tenha insistido para eu ir morar com ele, ainda não havia me ocorrido que ele tivesse comentado a meu respeito com os pais. Mas é claro que comentou. Ele deve ligar para os pais uma vez por semana, no domingo, às oito da noite, e os atualizar sobre todos os detalhes importantes da sua vida perfeita.

– Hum – exprimo, sem forças.

– E eu também gostaria de conhecer os seus – acrescenta ele.

Esse talvez seja um ótimo momento para contar a ele que não falo com meus pais. Só que as palavras não vêm.

Como é difícil. O último cara que namorei sabia tudo sobre mim desde o começo, então nunca tive que revelar meu passado complicado; nunca houve um momento aterrorizante em que abri o jogo em relação a tudo. E, como já falei, Brock é tão... perfeito. As únicas coisas que não são perfeitas em relação a ele são pequenos detalhes insignificantes, como a vez em que ele esqueceu de abaixar o assento do vaso no meu apartamento. E até isso foi algo que ele só fez uma vez.

O problema de Brock é que ele está pronto para se casar. E, apesar de termos a mesma idade, eu ainda não estou nesse ponto. E ele tampouco quer esperar. Tem um emprego ótimo num excelente escritório de advocacia e ganha mais do que o suficiente para sustentar uma família. Apesar de sua última consulta com o cardiologista ter lhe garantido que a saúde dele está ótima, Brock teme não conseguir alcançar a expectativa de vida de um homem branco neste país. Quer se casar e ter filhos enquanto ainda puder aproveitar essas coisas.

Enquanto isso, sinto que estou no meio do meu processo de crescimento. Afinal de contas, ainda faço faculdade. Não estou preparada para me casar. Eu só... não dá.

– Tudo bem.

Ele para de andar por um tempo e fica olhando para mim; um homem vindo atrás quase colide conosco e se afasta, resmungando um palavrão.

– Não quero te apressar – diz Brock. – Mas você precisa saber que eu sou louco por você, Millie.

– Eu também sou louca por você – respondo.

Ele segura minhas mãos nas dele enquanto me encara.

– Na verdade, eu meio que te amo.

Meu coração acelera um pouco. Ele já tinha me dito que era louco por mim, mas é a primeira vez que fala que me ama. Ainda que antecedido de um "meio que".

Abro a boca sem saber exatamente o que dizer. Mas, antes de qualquer palavra sair, tenho aquela sensação de arrepio na nuca.

Por que essa impressão de que alguém está me observando? Será que estou ficando maluca?

– Ah, que fofo – digo por fim.

Não estou pronta para retribuir a declaração. Não vou conseguir dar o passo seguinte na nossa relação enquanto houver tanta coisa a meu respeito que Brock ainda não sabe. Felizmente, ele não me pressiona.

– Vem, vamos comer uns sushis – diz ele.

Em algum momento, provavelmente também vou ter que contar para ele que não gosto de sushi.

SEIS

É meu primeiro dia de trabalho na casa dos Garricks.

Douglas já avisou ao porteiro para me deixar subir e deixou uma cópia da chave para eu poder inseri-la na fenda do elevador, que estala e geme ao percorrer os vinte andares. Bom, dezenove. Embora o apartamento seja o 20A, o prédio não tem décimo terceiro andar. Não existe azar ali.

As engrenagens do elevador param com um chiado quando chego ao meu destino. Mais uma vez, as portas se abrem, e o impressionante apartamento dos Garricks aparece. Apesar de Douglas ter dito que eles vão precisar dos meus serviços várias vezes por semana, o lugar mal parece ter essa necessidade. Está empoeirado, como todo apartamento da cidade fica, mas, tirando isso, está relativamente limpo.

– Olá? – chamo. – Douglas?

Ninguém responde.

Tento outra vez:

– Sra. Garrick?

Eu me aventuro até a sala, que mais uma vez me dá a sensação de ter entrado numa residência de um ou dois séculos atrás. Nem se gastasse todas as minhas economias eu conseguiria comprar sequer uma peça daquela mobília antiga. A maioria dos meus móveis veio da calçada em frente ao meu prédio.

Caminho até a cornija posicionada acima do que deve ser uma lareira falsa. Há umas cinco fotografias enfileiradas. Todas elas são de Douglas Garrick com uma mulher magérrima de cabelos ruivos compridos. Uma é numa pista de esqui; a outra, em trajes de gala; e uma terceira, em frente ao que parece ser uma caverna. Fico estudando a mulher, que presumo ser Wendy Garrick. Me pergunto se vou encontrá-la em algum momento em breve, ou se ela vai continuar trancada naquele quarto toda vez que eu vier. Não que eu tenha algum problema com isso: já tive muitos clientes que nunca vi durante todo o tempo que passei fazendo faxina em suas casas.

Uma pancada alta vem lá de cima, e me afasto do parapeito com um sobressalto. Não quero que ninguém pense que eu estava bisbilhotando. Isso certamente não seria uma boa apresentação para Wendy Garrick.

De costas, me afasto da lareira e olho para o pé da escada. Não há ninguém ali, e não ouço nenhum passo. Ninguém parece estar chegando.

Decido começar lavando a roupa. Douglas me mostrou o cesto de vime onde eles guardam a roupa suja na suíte master. Uma vez ligada a máquina, posso começar a cuidar de algumas das outras tarefas.

Subo a escada de madeira encerada até a imensa suíte. Dentro do closet, localizo o cesto grande de vime que Douglas me mostrou no outro dia. Porém, quando o abro, fico pasma.

Durante todo o tempo que passei lavando roupa para os outros, já vi muita coisa maluca. Já me deparei com roupas que não chegaram a acertar o cesto e ficaram espalhadas ao redor dele. Já encontrei todo tipo de mancha, de chocolate passando por óleo até umas poucas manchas que tenho quase certeza de que eram sangue. Mas uma coisa igual àquela nunca vi.

Toda a roupa suja está *dobrada*.

Passo alguns instantes encarando aquilo, tentando entender se me enganei. Talvez aquela roupa já tenha sido lavada e precise ser guardada. O que levaria alguém a dobrar a roupa suja?

Mas este é o cesto de roupa suja que Douglas me mostrou. Então só me resta supor que a roupa esteja usada.

Pego o cesto e saio da suíte master. Quando estou descendo o corredor até as máquinas de lavar e secar, reparo numa fresta aberta na porta do quarto de hóspedes.

– Sra. Garrick? – chamo.

Estreito os olhos para a fenda. Com muita dificuldade, consigo distinguir um olho verde. Me encarando.

– Meu nome é Millie – me apresento e começo a levantar a mão, então percebo que isso não vai ser possível enquanto estiver segurando o cesto de roupa suja, de modo que o ponho no chão. – Sou a faxineira nova.

Começo a andar na direção da porta com a mão estendida, mas, antes de percorrer metade do caminho, a fenda aberta desaparece. A porta foi fechada.

Tá certo...

Entendo algumas pessoas não serem lá muito sociáveis, e *em especial* não gostarem de socializar com o pessoal da limpeza. Mas ela não poderia pelo menos ter dito oi? Só para eu não ficar ali no meio do corredor com cara de tacho?

Mas, enfim, a casa é dela. E Douglas me contou que ela está doente. Então não vou obrigar a mulher a me conhecer.

Mas seria tão horrível assim eu só bater na porta e me apresentar?

Mas, não; Douglas me pediu para não incomodá-la. Então não vou fazer isso. Vou terminar de lavar a roupa, preparar o jantar e depois ir para casa.

SETE

Depois de ligar a máquina de lavar e dar um jeito no andar de cima (embora na realidade não haja muita coisa a fazer), desço até a cozinha para cuidar do jantar.

Felizmente, alguém me deixou uma lista pregada na porta da geladeira. É um cardápio semanal impresso, com receitas e instruções específicas sobre como fazer as compras. Parte está manuscrita; a letra parece mais feminina, mas é difícil dizer. Conforme vou lendo as instruções, começo a ficar cada vez menos animada com meu trabalho:

O patê deve ser comprado às terças-feiras na Oliver's Delicatessen antes das 16h.

Se só tiver terrine, não comprar. Nesse caso, comprar o patê no François.

O patê deve ser servido no pão de campagne adquirido no London Market. Cortar uma fatia e espalhar delicadamente. Colocar cornichon em cima, comprado no Mr. Royal.

Tudo o que consigo pensar é: que raio de patê é esse? E o que é um *cornichon*? Pelo menos, pão eu sei o que é. Mas por que preciso ir a quatro lojas para comprar essas três coisas? Mr. Royal é uma pessoa ou um lugar?

A parte boa é que pouca coisa é deixada a cargo da imaginação. As receitas estão classificadas por data, então simplesmente encontro a do dia e começo a preparar o...

Frango. Tá, isso vai ser interessante.

• • •

Duas horas mais tarde, já guardei a roupa limpa. O frango está no forno, assando, e, na minha opinião, o cheiro está ótimo. Já pus a mesa com dois lugares na sala de jantar, então agora estou apenas parada na cozinha, fazendo hora e esperando a comida ficar pronta. Com sorte, isso vai coincidir com a hora do jantar, que é às sete da noite em ponto.

Bem na hora que estou abrindo a porta do forno para checar o frango, as portas do elevador se abrem com um chiado; dá para ouvi-las a mais de um quilômetro de distância. Passos pesados vêm do corredor e ficam cada vez mais altos.

– Wendy! – É a voz de Douglas ecoando pelo apartamento. – Wendy, cheguei!

Vou até a entrada da cozinha e olho para a escada que conduz ao segundo andar. Aguardo um instante, com os ouvidos apurados para ouvir o barulho da porta do quarto de hóspedes se abrindo, na esperança de finalmente conseguir dar uma olhada na extravagante Sra. Garrick, mas não ouço nada.

– Olá. – Limpo as mãos na calça jeans ao sair da cozinha. – O jantar já vai ficar pronto... prometo.

Douglas está parado na sala, olhando para a escada.

– Excelente. Muito obrigado, Millie.

– De nada. – Acompanho o olhar dele escada acima. – Quer que eu vá chamar a Sra. Garrick?

– Humm.

Ele baixa os olhos para os dois lugares postos na mesa de jantar de madeira vitoriana, que parece o lugar onde poderia ser sido servido o jantar da rainha em pessoa.

– Tenho a sensação de que ela não vai jantar comigo hoje.

– Quer que eu leve um prato pra ela lá em cima?

– Não precisa. Eu levo. – Ele abre um sorriso enviesado. – Com certeza, ela ainda não deve estar se sentindo muito bem.

– Claro – murmuro. – Deixa eu tirar a comida do forno.

Vou depressa até a cozinha para ver como está o jantar. Tiro o frango do forno, e está com um aspecto sensacional. Quer dizer, levando em conta que nunca havia preparado essa receita específica antes, nem nunca tinha ouvido falar nela a não ser num sentido inteiramente teórico.

Levo mais dez minutos para cortar a ave besta segundo instruções específicas, mas, no fim das contas, tenho dois belos pratos de comida. Levo-os até a sala de jantar bem a tempo de ver Douglas descendo o lance de escada.

– Como ela está? – pergunto enquanto ponho os pratos na mesa.

Ele passa alguns segundos calado, como se estivesse refletindo sobre a resposta.

– Hoje não é um bom dia.

– Sinto muito.

Ele ergue um dos ombros.

– Fazer o quê? Mas obrigado pela ajuda hoje, Millie.

– De nada. Quer que eu leve o prato da Sra. Garrick?

Não sei se é minha imaginação, mas os lábios de Douglas se retesam quando ele ouve minha sugestão.

– Você já ofereceu e falei que eu mesmo levaria, não foi?

– Foi, mas… – Eu paro antes de dizer alguma besteira. Ele acha que estou sendo intrometida, e não está tão errado assim. – Enfim, tenha uma boa noite.

– Sim – responde ele, vago. – Boa noite, Millie. Obrigado mais uma vez.

Pego meu casaco e vou até o elevador. Prendo a respiração enquanto espero as portas se fecharem com um baque, então meus ombros relaxam. Não sei o que é, mas alguma coisa nesse apartamento me deixa pouco à vontade.

OITO

– Vai ver ela é uma vampira – sugere Brock. – E não pode sair do quarto durante o dia senão vira pó.

Contei a Brock tudo sobre a família Garrick, e, enquanto tomamos vinho no seu apartamento depois de jantar, ele está me dando explicações bem *in*úteis sobre por que já estive lá meia dúzia de vezes e Wendy Garrick não saiu uma vez sequer daquele quarto de hóspedes, embora eu tenha certeza de que ela está lá dentro. Aquela única ocasião em que a porta se entreabriu foi o mais próximo que já fiquei de vê-la.

– Ela não é uma vampira – respondo, mudando a posição das pernas debaixo do corpo no sofá de Brock.

– Você não sabe.

– Sei, sim. Porque vampiros não existem.

– Uma mulher lobisomem, então?

Dou um tapa no seu braço que quase o faz derramar a taça de vinho que está segurando.

– Isso nem faz sentido. Por que ela precisaria ficar no quarto se fosse uma mulher lobisomem?

– Tá, então vai ver… – reconsidera ele, pensando. – Vai ver ela tem uma fitinha verde em torno do pescoço, e se alguém desamarrar a cabeça dela cai?

Tomo um gole do vinho chique que Brock me serviu. As garrafas caras são de longe bem melhores do que as baratas, mas nunca consigo detectar as notas sutis de melão, lavanda ou seja lá o que for. Ele vive me perguntando, mas a essa altura já estou mentindo que consigo notar, só que na verdade não consigo. Estou *fingindo* degustar vinho.

– Eu sinto uma energia esquisita – comento. – Só isso.

– Bom, já te dei todas as minhas melhores ideias. – Ele passa o braço ao meu redor e me puxa para mais perto. – Então, se ela não é vampira, nem mulher lobisomem nem uma cabeça degolada, o que *você* acha que está acontecendo?

– Eu… – digo, colocando a taça de vinho em cima da mesa de centro e mordendo o lábio inferior. – Pra falar a verdade, não faço a menor ideia. É só uma sensação ruim.

Brock parece se distrair por um instante enquanto encara minha taça quase cheia na mesa.

– Não vai terminar seu vinho?

– Não sei. Acho que não.

– Mas é um Giuseppe Quintarelli – insiste ele, como se isso explicasse absolutamente tudo.

– Acho que não estou com sede.

– Sede? – Ele parece traumatizado com minha declaração. – Millie, ninguém bebe vinho porque está com sede.

– Tá bom.

Pego a taça e dou outro gole. Às vezes me pergunto por que ele namora comigo, a não ser pelo fato de dizer que me acha bonita. Ele se comporta como se tivesse muita sorte por estar comigo. Mas isso é loucura. O bom partido não sou eu, é ele.

– Tem razão. É bom mesmo – comento.

Termino o resto da taça, mas a verdade é que passo o tempo inteiro pensando nos Garricks.

NOVE

Adquiri o hábito de apurar os ouvidos toda vez que passo em frente à porta do quarto de hóspedes.

Isso é bisbilhotar, eu sei, não nego. Mas não consigo me conter. Já faz um mês que estou trabalhando para os Garricks e ainda não conheci Wendy Garrick oficialmente. Mas já ouvi barulhos vindo daquele quarto. E, em pelo menos três ocasiões, reparei numa fresta aberta na porta. Mas todas as vezes ela se fechou antes de eu conseguir me apresentar.

Não seria exagero dizer que estou com a imaginação a mil. Já vi muita coisa estranha em meus anos de faxina. Muita coisa ruim também. Passei uma fase tentando consertar algumas dessas coisas. Mas já tem muito tempo que não faço isso.

Desde que Enzo se foi.

Dessa vez, quando estou cruzando o corredor, escuto com certeza alguma coisa vindo do quarto de hóspedes. Ali costuma ser bem silencioso, então isso é diferente. Paro com o aspirador de pó na mão e encosto o ouvido na porta. E então consigo ouvir o som com muito mais clareza.

É um choro. Tem alguém soluçando lá dentro.

Prometi a Douglas que não bateria na porta. Mas, por algum motivo, Kitty Genovese me vem à mente. Mesmo que Brock diga que a história toda foi um grande exagero, sei que coisas ruins acontecem quando pessoas comuns não fazem nada.

Então, bato com os nós dos dedos na porta.

No mesmo instante, o choro cessa.

– Olá? – chamo. – Sra. Garrick? Tá tudo bem?

Ninguém responde.

– Sra. Garrick? – repito. – Tudo bem?

Nada.

Tento outra tática:

– Não vou embora até ver se a senhora está bem. Passo o dia inteiro aqui se precisar.

E então fico parada e espero.

Alguns segundos depois, ouço passos suaves do outro lado da porta. Dou um passo para trás quando ela se entreabre uns cinco centímetros até eu conseguir ver aquele olho verde me encarando. De fato, o branco do olho está marcado por veias vermelhas e a pálpebra está inchada.

– O. Que. Você. Quer? – sibila a dona dos olhos.

– Eu sou a Millie. A faxineira.

Ela não responde nada.

– E ouvi alguém chorando – acrescento.

– Estou bem – replica ela, tensa.

– Tem certeza? Porque eu…

– Tenho certeza de que meu marido avisou que não estou me sentindo bem. – Seu tom é cortante. – Só quero descansar.

– Sim, mas…

Antes que eu possa dizer qualquer outra coisa, Wendy Garrick bate a porta na minha cara. É o que ganho por lhe estender a mão. Pelo menos eu tentei.

Torno a descer a escada, arrastando comigo o pesado aspirador de pó. É uma perda de tempo querer me envolver nisso. Toda vez que menciono o assunto com Brock ultimamente, ele me diz para cuidar da minha vida.

Estou ocupada guardando o aspirador quando as portas do elevador se abrem fazendo barulho. Douglas entra na sala assobiando baixinho, usando outro daqueles seus ternos muito caros. Traz um buquê de rosas numa das mãos e uma caixa azul retangular na outra.

– Oi, Millie. – Ele parece estranhamente contente, levando em conta sua esposa soluçando no andar de cima. – Como estão as coisas? Tudo quase terminado?

– Tudo… – Não tenho certeza se deveria lhe contar o que ouvi lá em cima.

Mas, se a mulher dele estiver chorando, ele iria querer saber, certo? – Sua esposa parece estar meio para baixo. Ouvi ela chorando no quarto.

Manchas vermelhas surgem no alto de suas bochechas.

– Você não… não falou com ela, falou?

Não quero mentir, mas ao mesmo tempo ele foi muito claro quando me disse para não incomodar Wendy.

– Não, claro que não.

– Que bom. – Seus ombros relaxam. – Você deve deixá-la em paz e pronto. Como eu disse, ela não está bem.

– É, foi o que você disse…

– E… – Ele suspende a caixa azul retangular. – Eu trouxe um presente pra ela. – Ele larga as flores na mesa para poder abrir a caixa de veludo e a segura mais perto de mim para eu conseguir dar uma olhada lá dentro. – Acho que ela vai amar isso aqui.

Observo o conteúdo da caixa. É a pulseira mais linda que já vi na vida, cravejada de diamantes perfeitos.

– Está gravada – destaca ele, orgulhoso.

– Ela com certeza vai amar.

Douglas pega as flores da mesa e sobe a escada. Eu o observo desaparecer no corredor, então ouço uma porta sendo aberta e fechada em seguida.

Essa eu não consigo entender. Douglas parece ser um marido maravilhoso e dedicado. Wendy, por sua vez, nunca sai do quarto. Talvez saia quando não estou por perto, mas nunca vi seu rosto inteiro, a não ser nas fotos.

Tem alguma coisa anormal nessa situação, e não sei o que é.

Mas, como diz Brock, não é da minha conta. Eu deveria simplesmente deixar isso para lá.

DEZ

Você passa aqui hoje?

Apesar de já ter combinado com Douglas de passar na cobertura esta noite para levar as compras e fazer a faxina, ele sempre confirma comigo por mensagem de texto. É um homem extremamente organizado. Considerando o dinheiro que eles estão me pagando, sempre respondo na hora.

Sim, confirmado!

Como não tenho aula hoje, minha tarde vai ser dedicada a fazer compras para os Garricks, depois a ir à casa deles limpar a sujeira invisível e preparar o jantar. Já faz bem mais de um mês que estou trabalhando na casa deles e agora conheço a rotina. Estou com a lista de compras em mãos, mas preciso ir a Manhattan para comprar tudo que eles querem.

Ontem à noite, Brock me pediu para dormir na casa dele, e tenho passado muitas noites lá, porque ele mora muito perto da cobertura e da minha faculdade, mas isso é mais um motivo para dizer não. Se eu passar mais tempo no apartamento dele, basicamente vou acabar morando lá. E isso é uma coisa que não posso fazer.

Pelo menos, não ainda. Não antes de lhe contar a verdade. Ele merece pelo menos isso.

Só que estou com medo. Tenho medo de Brock surtar e terminar comigo no ato se souber tudo a meu respeito. E estou com mais medo ainda de que, quando seus pais ricos descobrirem, eles o convençam a me largar. Brock é perfeito, a família dele é perfeita, e eu estou tão longe de ser perfeita que nem graça isso tem.

Meu último relacionamento foi o oposto de perfeito. E, por algum motivo, isso parecia mais adequado a mim. Não sei bem o que isso diz a meu respeito, o fato de o meu par perfeito ser um cara como Enzo Accardi.

Enzo e eu nos conhecemos quatro anos atrás e viramos amigos, depois de um trabalho meu terminar de modo bastante inesperado. Como eu não tinha muitas amizades, fiquei obscenamente grata pelo apoio que ele me deu. Chegamos ao ponto em que estávamos passando quase todo o nosso tempo livre juntos, e ainda por cima ajudamos cerca de uma dúzia de mulheres a saírem de relacionamentos abusivos. Em grande parte do tempo, isso significava apenas encaminhá-las para as instituições adequadas, mas, em outras ocasiões, precisávamos ser criativos. Enzo fez contatos que lhe permitiram obter novas identidades, celulares temporários impossíveis de rastrear e passagens de avião para lugares distantes. Nós tirávamos mulheres de seus relacionamentos tóxicos sem precisar recorrer à violência.

Bom, não, isso não é verdade. Para ser totalmente sincera, houve algumas vezes em que as coisas meio que… fugiram do controle. Enzo e eu concordamos em nunca mais voltar a falar desses episódios. Nós fizemos o que foi preciso fazer.

Foi Enzo quem me convenceu a voltar a estudar para tirar um diploma de assistente social. Mal sabia que ele estava me pondo no caminho de uma vida normal que eu jamais havia sonhado ser possível para mim. Mesmo sendo ex-presidiária, eu ainda poderia conseguir um emprego de assistente social. Poderia fazer o que gostava dentro dos limites da lei.

Brock gosta de dizer que ele e eu formamos um bom time. Pode ser que seja verdade. Mas Enzo e eu *de fato* éramos um bom time: nós *trabalhávamos* juntos. Tínhamos uma missão. Além do mais, ele era gentil, apaixonado e um grande de um gostoso. Principalmente, esse último detalhe: por mais que eu tenha tentado continuar só amiga dele, foi difícil não me deixar afetar pelos seus atributos mais superficiais. Na época, odiei o fato de estar desenvolvendo uma paixonite frustrante por ele.

Então, certa noite, eu estava no apartamento dele, dividindo uma pizza que tínhamos pedido no nosso restaurante preferido (e também o mais barato, uma mera coincidência). Tínhamos colocado nossos sabores preferidos na pizza: pepperoni e queijo extra. Eu me lembro de Enzo ter dado um gole grande na sua cerveja e sorrido na minha direção. *Que delícia*, disse ele.

É, concordei. *Uma delícia mesmo.*

Ele largou a cerveja em cima da mesa de centro. Depois de fazer faxina em tantas casas, eu sentia um pouquinho de aflição toda vez que alguém deixava de usar um porta-copos. *Eu gosto de estar com você, Millie.*

Eu não tinha muita experiência com homens, mas o jeito como ele estava me olhando era inconfundível. E, mesmo se eu tivesse alguma dúvida, ela logo se dissipou quando ele chegou mais perto e me deu um beijo demorado com o qual eu soube que passaria anos sonhando. E quando nossos lábios por fim se separaram, ele sussurrou:

Quem sabe a gente não passa mais tempo junto?

O que mais eu poderia dizer a não ser sim? Nenhuma mulher seria capaz de recusar um pedido daqueles de Enzo Accardi.

Engraçado, porque sempre considerei Enzo um cara meio galinha, mas, depois daquele primeiro beijo, ele só teve olhos para mim. Nosso relacionamento evoluiu depressa, mas tudo parecia supercerto. Em poucas semanas, já estávamos dormindo na mesma cama todas as noites, e pouco depois decidimos morar juntos. Nós simplesmente nos encaixamos. Com a faculdade e o namoro com Enzo, tive o período mais feliz da minha vida.

Ainda me lembro do dia em que tudo veio abaixo.

Estávamos sentados no nosso sofá, que Enzo tinha pegado na calçada em frente ao nosso prédio, mas que ainda estava bem bacana e usável (com uma única mancha que não havíamos conseguido identificar, mas tudo bem, porque simplesmente viramos a almofada do lado contrário). Ele colocou um dos braços musculosos ao redor dos meus ombros, e nós estávamos assistindo a *O Poderoso Chefão II*, porque pouco tempo antes Enzo ficara horrorizado ao descobrir que eu nunca tinha visto a trilogia. *É um clássico, Millie!* Eu me lembro de me aconchegar junto dele pensando em como estava feliz e também que o meu namorado era bem mais gostoso que o Robert DeNiro.

Aí o telefone dele tocou.

A conversa que se seguiu foi toda em italiano, e eu me esforcei para tentar captar uma palavra aqui e outra ali. *Malata*, ele não parava de repetir. Finalmente, digitei a palavra no meu celular, que a traduziu para mim:

Doente.

Depois de desligar, ele me explicou a situação com o forte sotaque que às vezes tinha quando ficava estressado ou com raiva. A mãe dele tinha sofrido um AVC. Estava internada. Ele precisava voltar para a Sicília para ficar com ela, já que o pai e a irmã dele tinham morrido e ele era o único a quem ela podia recorrer. Fiquei sem entender, porque ele sempre tinha me dito que nunca poderia voltar para casa. Antes de ir embora de lá, tinha espancado um homem muito poderoso com as próprias mãos até quase matá-lo, e agora sua cabeça estava a prêmio.

Você me contou que não podia voltar, lembrei. *Disse que tinha um pessoal barra-pesada que iria te matar se você voltasse. Não foi isso que você falou?*

Foi, foi, respondeu ele. *Mas isso não é mais um problema. Essas pessoas barra-pesada... outras pessoas deram um jeito nelas.*

O que eu poderia ter dito? Não podia falar para o meu namorado que ele não tinha permissão para ver a própria mãe que acabara de sofrer um AVC. Então respondi que tudo bem, e um dia depois ele pegou um avião para ir ficar com ela. Depois de levá-lo ao aeroporto e de ele me beijar por tipo cinco minutos seguidos antes de passar pelo controle de segurança, Enzo prometeu que voltaria "muito em breve".

Não me ocorrera que ele pudesse nunca mais voltar.

Tenho certeza de que ele tinha a intenção de voltar; ele não teria mentido de caso pensado para mim. No começo, a gente se falava por telefone toda noite, e as coisas às vezes ficavam bem quentes. Ele sussurrava o quanto estava com saudades e como voltaríamos a ficar juntos em breve. Mas, conforme a doença da mãe foi se arrastando, ficou cada vez mais evidente que ele não podia sair de perto dela. E ela não podia vir para cá.

Já fazia um ano que eu não o havia tocado nem visto seu rosto quando finalmente lhe perguntei, sem rodeios:

Me diz a verdade. Quando você vai voltar?

Ele soltou um longo suspiro. *Não sei. Não posso abandonar ela, Millie.*

E eu não posso esperar para sempre, respondi.

Eu sei, disse ele com tristeza. *Eu entendo o que você precisa fazer.*

E foi isso. Foi esse o fim. Terminamos, simples assim. Então, quando uns meses depois Brock me chamou para sair, não havia motivo para dizer não.

Com Enzo, minha vida era uma espécie de aventura empolgante, mas agora estou a caminho da vida perfeita e normal que jamais pensei ser possível para mim. Brock não conhece nenhum cara capaz de fabricar um passaporte falso em 24 horas; imagino que, se eu pedisse algo assim, ele ficaria me encarando em completo choque.

Já Enzo conhecia um cara para *tudo*. Essa era praticamente a resposta automática dele toda vez que eu lhe pedia ajuda. *Eu conheço um cara*.

E agora estou executando a tarefa mais normal que existe. Fazendo compras no mercado. Embora, a bem da verdade, a lista de itens que Douglas me pediu para comprar não tenha nada de normal. Ao verificar os primeiros poucos itens dela, que Douglas Garrick havia me enviado por mensagem naquela manhã, faço uma careta ao pensar na caça ao tesouro que ele está me mandando fazer:

Cidra-mão-de-buda

Brotos de samambaia

Minipepino mexicano

Physalis

Juro por Deus, ele deve estar tirando esses nomes da própria cabeça. *Cidra--mão-de-buda?* Isso não existe de verdade, né? Com certeza, parece inventado.

Segurando a lista de compras, pego meu casaco e desço a escada. Não faço ideia de quanto tempo vou levar para encontrar uma cidra-mão-de--buda, ou mesmo para descobrir do que se trata, então é melhor fazer tudo com tempo.

Bem na hora em que chego no térreo, quase trombo em cheio com aquele homem que mora bem embaixo de mim. *Diretamente* embaixo. Aquele da cicatriz acima da sobrancelha esquerda. Faço uma careta quando o vejo.

Ele me abre um sorriso. Tem um dente de ouro no lugar do segundo incisivo esquerdo que me faz pensar em Joe Pesci em *Esqueceram de mim*, meu filme preferido quando eu era criança.

– Ei. Tá com pressa?

– Tô. – Dou um sorriso como quem pede desculpas. – Sinto muito.

– Sem problemas. – O sorriso dele fica mais largo. – A propósito, eu me chamo Xavier.

– Prazer – respondo, fazendo questão de evitar lhe dizer meu próprio nome.

– Millie, né?

Bom, minha estratégia fracassou. Sinto um frio esquisito na barriga: aquele cara sabe exatamente onde eu moro e, por algum motivo, o meu primeiro nome. Deve saber meu sobrenome também. Mas é claro: teria sido fácil descobrir isso em nossas caixas de correio.

Continuo tendo a sensação intermitente de estar sendo seguida. Há vezes em que acho que tudo talvez não passe de coisa da minha cabeça, mas, nesse momento, não tenho tanta certeza assim. Xavier sabe um pouquinho demais a meu respeito. Será que ele pode estar...?

Meu Deus, não consigo pensar nessa possibilidade agora. Já é assustador o suficiente andar pelas ruas do sul do Bronx sem ter que me preocupar se o cara que mora no apartamento debaixo do meu está me seguindo. Talvez eu devesse aceitar a proposta de Brock para ir morar com ele. Xavier provavelmente vai me deixar em paz se eu me mudar para o Upper West Side. E, mesmo que não deixe, vai ter que lidar com o porteiro uniformizado e de quepe. Não há como passar por um porteiro desses. Acho que, se precisarem, eles conseguem até usar aqueles quepes como bumerangues.

– O que vai fazer hoje? – pergunta Xavier.

Avanço na direção da saída.

– Só umas compras de mercado.

– Ah, é? Quer companhia?

– Não, obrigada.

Xavier parece ter mais alguma coisa a dizer, mas não lhe dou a chance de falar. Passo por ele e saio pela porta. Quer acabe indo morar com Brock ou não, talvez eu precise me mudar num futuro próximo. Não me sinto à vontade perto desse homem. Tenho a sensação ruim de que ele é o tipo de cara que não sabe aceitar não como resposta.

ONZE

Quando chego à cobertura dos Garricks, estou carregando quatro sacolas de compras abarrotadas. Estava conseguindo equilibrá-las direitinho até o último quarteirão, quando por um triz não deixei cair tudo. Mas, pela graça de Deus, aqui estou, com cidra-mão-de-buda e tudo. (Isso existe de verdade, e consegui encontrar uma num mercadinho de hortifrúti asiático.)

Por sorte, não preciso acionar a maçaneta, porque as portas do elevador se abrem e consigo entrar direto no apartamento. Estava torcendo para conseguir chegar à cozinha de uma vez só, mas, na metade do caminho, sou obrigada a largar todas as sacolas no chão e fazer uma pausa. Se deixasse cair a tal cidra-mão-de-buda e ela amassasse, acho que teria que me sentar no chão e chorar.

É enquanto estou em pé no meio da sala, tentando calcular a melhor estratégia para levar as compras até a cozinha, que ouço.

Gritos.

Bom, gritos abafados. Não consigo escutar palavras propriamente ditas, mas, pelo barulho, alguém no primeiro andar parece estar gritando com vontade. Deixando as compras para trás, esgueiro-me até mais perto da escada para tentar ouvir o que está acontecendo. É então que escuto o estrondo.

Parece vidro se estilhaçando.

Levo a mão ao corrimão da escada, pronta para subir os degraus e me certificar de que tudo está bem. Mas, antes de conseguir dar um só passo, uma porta bate lá em cima. Então passos ficam mais altos na escada, e eu recuo.

– Millie.

Douglas se detém abruptamente ao pé da escada. Veste uma camisa social e está com o rosto cor-de-rosa, como se a gravata estivesse um pouco apertada demais, embora ela penda frouxa no pescoço. Na mão direita, segura uma sacola de presente.

– O que está fazendo aqui?

– Eu... – Olho para as quatro sacolas de compras. – Eu fiz compras. Estava indo guardar.

Ele estreita os olhos.

– Então por que não está na cozinha?

Abro um sorriso tímido.

– Ouvi um barulho. Fiquei preocupada que...

Bem na hora em que estou dizendo essas palavras, reparo num rasgo no tecido da sua camisa social chique. E não é do tipo que a camisa só descosturou. Ele está com um rasgo feio logo acima do bolso da frente.

– Está tudo bem – diz ele, sucinto. – Eu cuido das compras. Pode ir.

– Tá bom...

Não consigo tirar os olhos do rasgo na sua camisa. Como isso foi acontecer? O sujeito trabalha como CEO, não faz nenhum trabalho pesado. Será que aquilo poderia ter acontecido agorinha mesmo, lá no quarto de hóspedes?

– E também... – Ele me estende a sacola de presente que está segurando na mão direita. – Preciso que devolva isso pra mim. A Wendy não quis.

Aceito a sacolinha rosa de presente. Vejo de relance um tecido sedoso lá dentro.

– Tá, pode deixar. A nota tá aqui?

– Não, foi um *presente*.

– Eu... eu não acho que vá conseguir devolver sem nota. Onde você comprou?

Douglas trinca os dentes.

– Não sei... foi minha assistente quem escolheu. Eu te mando por e-mail uma cópia da nota.

– Se foi a sua assistente quem escolheu, não seria mais fácil ela devolver?

Ele inclina a cabeça.

– Me desculpe, mas não é o seu *trabalho* resolver as coisas pra mim?

Dou um tranco para trás com a cabeça. É a primeira vez desde que trabalho aqui que Douglas se dirige a mim de modo tão desrespeitoso. Sempre pensei que ele parecia um homem bastante agradável, ainda que estressado e desatento. Agora percebo que ele tem outro lado.

Mas todo mundo não tem?

Douglas Garrick está me encarando. Espera que eu vá embora, mas cada fibra do meu ser me diz que eu deveria ficar. Que deveria verificar lá em cima para garantir que tudo está bem.

Mas então Douglas se interpõe entre mim e a escada. Cruza os braços e ergue para mim as sobrancelhas grossas. Não vou conseguir passar por esse homem e, mesmo se conseguisse, tenho a sensação de que, caso batesse na porta do quarto de hóspedes, Wendy Garrick me garantiria que está tudo bem com ela.

Sendo assim, no fim das contas, não me resta nada a fazer senão ir embora.

DOZE

Enquanto estou percorrendo o trajeto de cinco quarteirões da estação de metrô até meu prédio, tenho aquela sensação de arrepio na nuca mais uma vez.

Quando sinto isso em Manhattan, no bairro rico onde trabalho e onde meu namorado mora, parece que estou sendo paranoica. Mas ali, no sul do Bronx, quando o sol já sumiu no céu, paranoia nada mais é do que bom senso. Não me visto para chamar atenção. Estou usando uma calça jeans pelo menos um número acima do meu, um par de tênis Nike cinza que um dia foi branco e um casaco mais volumoso do que estiloso – de uma cor escura feita para não sobressair à noite –, mas, ao mesmo tempo, obviamente sou uma mulher. Mesmo com o gorro enfiado por cima dos cabelos loiros e com meu casaco feio de gominhos, a maioria das pessoas me identificaria como mulher desde a outra esquina.

É por isso que apresso o passo. Além do mais, tenho uma lata de spray de pimenta no bolso. Meus dedos estão fechados em volta dela. Mas a sensação só desaparece depois que entro no prédio e fecho a porta.

A questão é essa. Eu *nunca* tenho essa sensação de arrepio quando estou em casa. Não sinto isso quando estou limpando a cobertura. Só quando estou na rua, em momentos em que alguém poderia estar mesmo me observando. Isso me faz pensar que a sensação é real.

Ou isso, ou estou ficando maluca. Essa também é uma possibilidade.

Brock me mandou uma mensagem de texto perguntando se eu queria ir à casa dele hoje à noite, e respondi que não. Que estava cansada demais.

Afasto da mente os pensamentos sobre Brock enquanto retiro algumas correspondências da minha caixa de correio: todas são contas. Como é possível eu ter tantas contas assim? Pareço sobreviver à base de praticamente nada. Em todo caso, estou enfiando as cartas no bolso quando a fechadura da porta do prédio gira. Um segundo depois, sinto uma lufada de ar frio ao mesmo tempo que o homem da cicatriz empurra a porta e entra.

Xavier. Foi assim que ele disse que se chamava.

– Oi, Millie – diz ele num tom demasiado alegre. – Tudo bem?

– Tudo – respondo, rígida.

Dou meia-volta e sigo na direção da escada, torcendo para ele se demorar olhando a própria correspondência. Não tenho essa sorte. Xavier se apressa para me seguir, tentando subir no mesmo ritmo ao meu lado.

– Algum plano para hoje à noite? – pergunta ele.

– Nenhum – respondo, enquanto subo correndo os degraus até o segundo andar. É lá que vou poder me despedir de Xavier.

– Você poderia ir lá em casa – diz ele. – Ver um filme.

– Tô ocupada.

– Não tá, não. Você acabou de dizer que não tinha planos pra hoje.

Cerro os dentes.

– Eu tô cansada. Vou só tomar um banho e ir pra cama.

Xavier sorri para mim, fazendo seu único dente de outro brilhar sob a luz mortiça da escadaria.

– Quer companhia pra isso?

Viro as costas para ele.

– Não, obrigada.

Chegamos ao segundo andar, e imagino que Xavier vá seguir seu caminho. Mas, em vez disso, ele continua subindo a escada ao meu lado. Sinto o estômago embrulhar e enfio a mão no bolso para tocar minha lata de spray de pimenta.

– Por que não? – insiste ele. – Vamos. Não é possível que você curta mesmo aquele mauricinho ricaço que vive te visitando aqui. Você precisa de um homem de verdade.

Dessa vez, eu o ignoro. Dali a mais um minuto, vou estar no meu apartamento. Só preciso chegar lá.

– Millie?

Mais cinco passos. Mais cinco passos para subir, e estarei livre desse babaca. Quatro, três, dois…

Mas então uma mão segura meu braço e dedos se cravam em mim.

Não vou conseguir chegar lá.

TREZE

– Ei. – A mão carnuda de Xavier segura com força o meu braço. – Ei!

Tento me desvencilhar, mas o aperto dele é como o de um torno; ele é mais forte do que parece. Abro a boca, pronta para gritar, mas ele pressiona a palma da mão nos meus lábios antes que saia qualquer som. Minha cabeça bate na parede atrás de mim, fazendo meus dentes chacoalharem.

– Quer dizer que agora você tem alguma coisa pra dizer? – Ele sorri para mim com desdém. – Mas antes estava se achando boa demais pra mim. Não estava?

Tento afastá-lo, mas ele está pressionando o corpo no meu para eu poder sentir a protuberância na sua calça. Lambe os lábios rachados.

– Vamos entrar e nos divertir um pouco, tá bom?

Mas ele comete o erro de segurar o braço errado. Saco a lata de spray de pimenta e fecho os olhos ao mesmo tempo que a esvazio bem na sua cara. Ele grita, e então, no mesmo segundo em que paro de apertar a válvula, eu lhe dou um empurrão com o máximo de força de que sou capaz.

Sempre reclamei de como as escadas desse prédio são íngremes, mas dessa vez isso vem a calhar, pois Xavier despenca o lance inteiro. Em determinado momento, ouço o barulho nauseante de algo se rachando, em seguida um baque quando ele chega lá embaixo. E então, silêncio.

Passo alguns segundos parada no alto da escada, olhando para o corpo esparramado no andar de baixo. Será que ele morreu? Será que eu o matei?

Desço correndo os degraus e me detenho bruscamente lá embaixo. A lata de spray continua na minha mão direita quando me abaixo para ver mais de perto. O peito ainda parece estar subindo e descendo, e ele então solta um gemido baixo. Ainda está vivo. Nem sequer o fiz perder a consciência.

Que pena. Se alguém merecia um pescoço quebrado, era esse cara.

Não. Provavelmente é melhor ele não ter morrido.

Num impulso, movo o pé para trás e então o chuto nas costelas com o máximo de força que consigo. Dessa vez, ele geme mais alto. *Com certeza* ainda está vivo. Dou-lhe um segundo chute para garantir. E então um terceiro, a saideira. Toda vez que meu tênis faz contato com as suas costelas, sorrio para mim mesma.

Olho para o lance seguinte de escada mais abaixo. Ele sobreviveu ao primeiro. Fico imaginando o que aconteceria se caísse um segundo. Ou quem sabe um terceiro. Ele nem parece tão pesado assim. Aposto que eu conseguiria fazê-lo rolar e…

Não. Meu Deus do céu, o que estou pensando?

Eu não posso fazer isso. Passei dez anos na prisão. Não vou voltar para lá.

Tiro o celular do bolso e ligo para a emergência. Vou conseguir a justiça à qual tenho direito, e não vai ser matando esse homem.

CATORZE

Uma hora mais tarde, a polícia e uma ambulância estão paradas em frente ao meu prédio. Não é tão incomum ver uma viatura estacionada na nossa rua, só que, dessa vez, as luzes estão piscando.

Eu esperava que fossem levar Xavier direto para a cadeia, mas ele estava com o braço quebrado, uma concussão e possivelmente algumas costelas fraturadas. Quando a polícia chegou, já tinha começado a falar coisa com coisa e estava tentando se levantar. Foi bom eles terem chegado, senão eu precisaria ter encontrado alguma outra coisa com a qual apagá-lo.

Fiquei chateada por nenhum dos meus vizinhos ter saído para me ajudar. Apesar do que Brock havia dito sobre o incidente com Kitty Genovese, posso afirmar com certeza que um homem tentou me estuprar no hall do meu prédio e ninguém apareceu para me acudir. Qual é o problema com as pessoas? Sério.

Uma policial me fez algumas perguntas assim que eles chegaram, mas depois me pediram para aguardar em casa enquanto cuidavam de tudo. Então foi isso que fiquei fazendo. Liguei para Brock e disse a ele que um vizinho tinha tentado me atacar, embora tenha sido vaga em relação aos detalhes de como conseguira escapar. Ele está a caminho, mas não vou sair daqui até ter prestado um depoimento formal que faça Xavier ser preso assim que tiverem dado um jeito no seu braço quebrado. Tomara que o filho da mãe precise ser operado.

Pela janela, dou uma boa olhada na ambulância que está se afastando. Fiquei observando tudo desde que me pediram para subir. A polícia conversou com alguns vizinhos meus na rua e passou um tempão falando com Xavier atrás da ambulância antes de ele ser levado embora. Uns poucos policiais continuam batendo papo em frente ao prédio. Nem sequer consigo imaginar o que têm para falar. Um homem me atacou a segundos da porta do meu apartamento. Para mim, parece tudo bastante evidente.

Então, um dos policiais aponta para a minha janela.

Um segundo depois, um dos agentes entra no prédio, e me afasto dela. Esfrego as mãos suadas na calça jeans. Ainda estou com uma mancha vermelha no braço onde Xavier me segurou, e a parte de trás da minha cabeça lateja de leve no ponto em que bateu na parede, mas ele está num estado bem pior do que eu.

É o que ele merece.

Um segundo depois de baterem na minha porta, eu a abro. O agente parado do outro lado tem uns 30 e poucos anos, um pouco de barba por fazer no queixo e uma expressão ligeiramente entediada. Como se nessa noite aquele fosse o quinto cara com quem ele precisa lidar que tentou estuprar uma mulher na escada em frente à porta de casa.

– Boa noite – diz ele. – Wilhelmina Calloway?

Faço uma careta ao ouvir meu nome inteiro.

– Sou eu.

– Eu sou o agente Scavo. Posso entrar?

Quando eu estava na prisão, todas as mulheres diziam que, se um policial pedir para entrar na sua casa, você tem o direito de dizer não. *Não deixe os babacas entrarem.* Mas, afinal, eles não estão aqui para me investigar. Opto por um meio-termo: deixo o agente entrar, mas não nos sentamos.

Não é a mesma pessoa com quem falei logo depois do incidente. A primeira agente era mulher e me deu um abraço. Não acho que esse cara vá me dar um abraço. Nem quero que dê.

– Então, preciso recapitular o que aconteceu hoje à noite – diz Scavo. – Entre a senhorita e o Sr. Marin.

– Tudo bem. – Cruzo os braços, com frio de repente, embora a calefação esteja funcionando, coisa rara. – O que o senhor quer saber?

Scavo me olha de cima a baixo.

– Era assim que estava vestida durante o incidente?

Não entendo o sentido da pergunta. Ele a faz como se eu estivesse vestida de modo inadequado. Estou usando uma camiseta e a mesma calça jeans de mais cedo. A camiseta é levemente ajustada no corpo, mas nada que chame a atenção. Como se isso fizesse alguma diferença.

– Era, mas eu estava com um casaco por cima.

– Ahã.

Scavo faz uma cara de quem não acredita totalmente em mim. Como se eu estivesse seduzindo Xavier com a minha camiseta supersexy e minha calça jeans largona.

– Então, me conta exatamente o que aconteceu.

Repito a história pela terceira vez na mesma noite. Dessa vez, é mais fácil. Minha voz não treme quando descrevo a forma como ele me agarrou. Ergo o pulso como prova para mostrar a Scavo as marcas vermelhas, embora ele não pareça nem um pouco impressionado.

– E foi isso? – indaga ele. – Ele só segurou o seu braço?

– Não. – Cerro os punhos de frustração. – Eu já *falei*. Ele me segurou e se encostou em mim.

– Se encostou como?

– Tipo imprensou o corpo em mim!

O policial franze o cenho.

– É possível que a senhorita tenha interpretado mal a situação toda? Tipo, talvez ele estivesse só sendo simpático?

Me limito a encará-lo.

– Porque o negócio é o seguinte, Srta. Calloway. – Scavo me encara com firmeza. – Segundo o Sr. Marin, ele só estava tendo uma conversa amigável com a senhorita, e a senhorita surtou. Jogou spray de pimenta na cara dele, depois o empurrou da escada.

– Está de brincadeira comigo?

Minha vontade agora é jogar spray de pimenta na cara do agente Scavo e empurrá-lo da escada.

– Não foi isso que aconteceu, de jeito nenhum! O senhor acredita de verdade nessa história? Está tomando o partido *dele*?

– Bom, uma das suas vizinhas viu a senhorita em pé ao lado do homem dando vários chutes nas costelas dele. Ela até ficou com medo de sair do apartamento.

Abro a boca, mas tudo que sai é um ganido.

– Nós achamos que o Sr. Marin está com uma ou duas costelas quebradas – prossegue o policial. – E temos uma testemunha que viu a senhorita chutá-lo nas costelas enquanto ele estava desacordado no chão. Então me diga o que devo pensar.

De verdade, sério mesmo, eu queria não ter chutado Xavier. Mas foi tentador demais. E sei como fraturas nas costelas podem ser doloridas.

– Eu estava transtornada.

– Transtornada por quê? O Sr. Marin acha que a senhorita estava transtornada porque estava flertando com ele, mas ele não correspondeu. Ele disse que foi por isso que a senhorita o atacou.

Sinto como se alguém de repente tivesse me dado um soco na barriga. Ou nas costelas.

– Eu ataquei *ele*?

Scavo arqueia uma sobrancelha.

– E a senhorita já tem passagem, não é, Srta. Calloway? Um histórico de comportamento violento?

– Mas que absurdo – digo com um arquejo. – Aquele homem me atacou. Se eu não tivesse me defendido…

– Então, o negócio é o seguinte – retruca o policial. – É só a sua palavra contra a dele dizendo que ele a atacou, e uma testemunha a viu chutá-lo quando ele estava no chão. E quem está com uma porção de ossos quebrados é ele.

Sinto as pernas ficarem bambas. De repente, desejo que tivéssemos nos sentado para ter essa conversa.

– Eu vou ser presa?

– O Sr. Marin por enquanto não decidiu se vai prestar queixa.

Scavo faz uma cara de quem acha que o meu agressor com certeza deveria prestar queixa. Como se desejasse fechar um par de algemas ao redor dos meus pulsos nesse exato instante.

– Então, até ele se decidir, sugiro não sair da cidade – continua ele.

Odeio esse homem. O que aconteceu com a policial? Aquela que me abraçou e disse que Xavier nunca mais iria conseguir me machucar? Onde *ela* foi parar?

Com essas palavras, conduzo o agente Scavo de volta até a porta. Quando a abro, Brock está parado do lado de fora, com a roupa de trabalho – camisa social azul-celeste e calça bege – e a mão erguida para bater. Scavo abre um sorriso de sarcasmo ao vê-lo, mas não comenta nada. Brock está com cara de quem quer perguntar alguma coisa para o agente, mas, felizmente, Scavo parece estar com pressa para ir embora.

Consigo me conter até puxar Brock para dentro do apartamento e trancar a porta. Só então as lágrimas brotam nos meus olhos. Só que não são lágrimas de tristeza. São de *fúria*. Como ele *se atreve* a falar assim comigo? Fui atacada no meu próprio prédio, e por algum motivo meu *agressor* é a vítima?

– Millie. – Brock me envolve com os braços. – Meu Deus, tá tudo bem com você? Vim o mais rápido que consegui.

Assinto sem dizer nada enquanto me afasto dele. Se falar, não vou conseguir conter as lágrimas. E, por algum motivo, não quero chorar na frente de Brock.

– Espero que aquele babaca fique preso um tempão – diz ele.

Eu deveria contar a ele o que aconteceu. O que aquele policial me disse. Mas, se fizer isso, vou ter que explicar por quê. Vou ter que explicar meu histórico de violência. Minha passagem pela prisão. Todos os motivos pelos quais ninguém acredita em mim.

Se Enzo estivesse aqui, tudo seria diferente. Eu poderia contar tudo para ele. E Enzo iria entender. Haveria, *sim,* uma pequena chance de ele esquartejar Xavier Marin com as próprias mãos, membro por membro. Mas por mim tudo bem, tudo ótimo. Quando olho para Brock, a ideia de ele fazer algo parecido quase me faz rir alto. Mas, pelo lado positivo, se Xavier de fato me acusar de lesão corporal, Brock poderia me defender. Sim, isso seria muito bom para a nossa relação.

– Você não pode dormir aqui de jeito nenhum – diz Brock. Dessa vez, eu concordo cem por cento com ele. – Estou com o carro estacionado bem aqui na frente. Deixa eu te levar pra minha casa.

Meus ombros afundam.

– Tá bom.

– E você deveria ficar comigo – insiste ele. Ao ver a expressão no meu rosto, acrescenta depressa: – Não estou dizendo que deva se mudar. Mas pelo menos levar roupa pra uma semana. Quem sabe começar a procurar outro lugar pra morar.

Não tenho forças para discutir com ele agora, e Brock tem toda a razão. Se Xavier voltar para esse prédio, não tenho mais como morar aqui. Vou ter que arrumar outro apartamento, apesar de já mal conseguir pagar o aluguel daqui, mesmo com o dinheiro que os Garricks estão me pagando. Será que vou ser obrigada a arrumar uma vizinhança ainda pior no Bronx?

Enfim, penso nisso depois. Nesse momento, preciso arrumar minhas coisas.

QUINZE

A suíte master da casa dos Garricks é tão grande que, se eu falasse, juro que minha voz faria eco.

Estou guardando uma pilha de roupa limpa. Achava que o casal mandasse a maior parte da roupa para lavar fora, mas, como Wendy nunca parece sair do quarto, não imagino que use peças que exijam ser lavadas a seco com muita frequência. Com base no que tenho visto passar pela máquina de lavar, ela usa principalmente camisolas. No presente momento, estou dobrando uma delicada camisola branca com renda na gola que parece ir até os tornozelos de Wendy, a julgar pela sua altura, que observei durante aquela única tentativa de conversa que tivemos.

É então que vejo.

Tem uma mancha na gola da camisola. Uma mancha irregular entre o marrom e o vermelho, agora entranhada no tecido. Já me deparei com manchas assim antes, ao lavar roupa. São inconfundíveis.

É sangue.

E não só isso: é uma quantidade bem razoável de sangue. Bem na linha do pescoço, se espalhando para o tecido mais abaixo. Fecho os olhos, incapaz de evitar pensar em qual poderia ter sido a causa de todo aquele sangue.

Meus olhos tornam a se abrir de repente com o barulho do meu celular tocando. Tiro o aparelho do bolso da calça jeans e sinto um aperto no peito.

A tela mostra que a chamada vem da delegacia de polícia do Bronx. Não parece que vai ser uma boa notícia.

Bom, eles provavelmente não iriam me prender por telefone.

– Alô?

Eu me sento na borda da cama dos Garricks, que tem mais ou menos o tamanho de um navio transatlântico.

– Wilhelmina Calloway? Agente Scavo falando.

Sinto o estômago embrulhar: o som do nome daquele policial me dá arrepios.

– Pois não?

– Tenho boas notícias.

Se esse homem ainda estiver cuidando do meu caso, não pode haver nenhuma notícia boa. Mas talvez eu devesse tentar ser otimista. A essa altura, mereço uma vitória.

– Que notícias?

– O Sr. Marin decidiu não prestar queixa – diz ele.

É *essa* a boa notícia? Aperto o celular com tanta força que meus dedos começam a formigar.

– E eu? Eu quero dar queixa.

– Srta. Calloway, nós temos uma testemunha que a viu atacá-lo. – Ele pigarreia. – A senhorita tem sorte de essa ser a única consequência. Se ainda estivesse em condicional, voltaria para a prisão no ato. Ele ainda pode apresentar uma queixa civil contra a senhorita, claro.

Engulo um nó na garganta.

– Mas onde ele está agora?

– Foi liberado hoje de manhã.

– Vocês o liberaram da cadeia hoje de manhã?

Scavo dá um suspiro.

– Não, ele nem chegou a ser preso. Teve alta do hospital hoje de manhã.

Isso quer dizer que ele vai voltar para o prédio hoje à noite. O que significa que nunca mais vou poder voltar lá.

– Escuta, dona – diz Scavo. – Dessa vez, a sorte ficou do seu lado, mas a senhorita precisa começar a fazer algum tipo de terapia para controlar sua raiva. Senão vai acabar voltando direto para a prisão.

– Obrigada pela dica – respondo entredentes.

Bem na hora em que estou desligando, ergo os olhos e me dou conta de que não estou sozinha na suíte. No outro extremo do quarto, em pé no vão

67

da porta, está Douglas Garrick, vestindo um terno Armani com uma gravata vermelho vivo e os cabelos castanho-escuros penteados para trás com gel, como de costume.

Fico imaginando quanto da conversa ele escutou. É claro que só haveria problema se ele tivesse escutado o lado de Scavo.

– Olá, Millie – diz ele.

Eu me levanto toda atrapalhada e enfio o celular no bolso.

– Oi. Desculpa, eu… estava só guardando a roupa.

Ele não contesta minha afirmação com o fato de eu estar falando no telefone. Em vez disso, entra no quarto, afrouxando a gravata com um polegar. Tira o paletó e o joga em cima da cômoda.

– Então? – indaga ele.

Eu o encaro sem entender.

– Vai deixar meu paletó assim, jogado ali em cima da cômoda?

Levo um segundo para entender o que ele quer que eu faça. O closet fica a uns dois metros de onde estamos, e teria sido bem fácil para ele ir pendurar o próprio paletó, mas, em vez disso, está deixando a tarefa para mim. É justo, uma vez que é o meu trabalho, mas seu tom de voz não me deixa à vontade. Venho notando isso cada vez mais nas minhas interações com ele.

– Me desculpe – murmuro. – Vou pendurar pra você.

Douglas Garrick fica olhando enquanto pego seu paletó, me estudando com atenção. Pesquisei o nome dele no Google outro dia, mas não achei grande coisa, nem mesmo uma foto decente. Pelo visto, ele é uma pessoa extremamente reservada. Tudo que consegui descobrir foi que ele é CEO de uma empresa bem grande chamada Coinstock, como Brock mencionou. É algum tipo de gênio da tecnologia, que inventou um software usado por praticamente todos os bancos do país. Brock tinha me dito que ele parecia ser um cara legal, mas não dá para conhecer de verdade uma pessoa só numa interação profissional. Douglas parece um homem com talento para ligar o botão do charme quando necessário.

– Você é casada? – pergunta ele.

A pergunta me faz gelar com o paletó a meio caminho do cabide.

– Não…

Um dos cantos da boca dele se ergue.

– Tem namorado?

– Tenho – respondo, tensa.

Ele não tece comentários, mas seus olhos me examinam até eu começar a ficar sem graça. Pouco importa o quanto ele é atraente, não gosto que fique me encarando desse jeito. Quando nos conhecemos, fiquei bem impressionada com o modo como ele controlava o próprio olhar, mas acho que devia ser só fachada. Se ele continuar olhando para mim desse jeito...

Bom, acho que não tem muita coisa que eu possa fazer a respeito. Não depois de um policial ter acabado de me acusar de agredir um homem.

Estou a ponto de atrair o olhar dele para o meu rosto quando ele finalmente recai na camisola branca estendida em cima da cama king size. Ele está encarando a mancha na gola. Talvez seja minha imaginação, mas tenho certeza de ouvir uma inspiração marcada.

– Bom. – Baixo os olhos para a camisola, então torno a encarar Douglas. – Se me der licença, preciso pesquisar como tirar manchas de molho de tomate de uma roupa.

Ele passa mais alguns segundos me encarando, então felizmente aquiesce em aprovação.

– Ótimo. Faça isso.

Só que não preciso pesquisar nada. Já sei como tirar manchas de sangue de uma roupa.

DEZESSEIS

Brock e eu estamos jantando juntos, mas não consigo me concentrar em uma só palavra que ele está dizendo.

O tempo esquentou, e pegamos uma mesa na calçada num restaurantezinho fofo de comida árabe em East Village. Brock está irresistivelmente atraente, vestido com seu terno de trabalho, e eu coloquei um vestido novo, sem mangas. Enquanto comemos nossas entradas, Brock me conta tudo sobre um de seus clientes. Em geral, fico feliz por passar a tarde com meu namorado incrível. Fico sempre um pouco admirada que um cara como Brock se interesse por alguém como eu e, numa situação normal, estaria prestando atenção em cada palavra (embora ele esteja falando sobre direito de patentes, um assunto meio chato, confesso). Só que nesse dia minha cabeça está em outro lugar.

Porque estou com aquela sensação de arrepio na nuca outra vez. Como se alguém estivesse me observando.

Deveria ter dito a Brock que queria comer do lado de dentro. Não me sinto mais segura com Xavier à solta. Não sei por que ele decidiu me escolher como alvo, mas já faz uma semana desde o ataque, e com frequência sinto aqueles olhos cravados em mim. Gostaria de pensar que está tudo na minha imaginação, mas não tenho tanta certeza. Mesmo com o braço quebrado, mesmo vivendo em outra *região* da cidade, Xavier ainda assim poderia estar me seguindo.

– Você não acha, Millie?

Ergo os olhos para ele, sem ideia do que dizer. Estou segurando o garfo na mão direita e com ele espetei um cubinho de cordeiro, mas acho que faz pelo menos dez minutos que não levo nada à boca.

– Ahn? – digo, na falta de coisa melhor.

As sobrancelhas de Brock se juntam, e o pedacinho de pele entre elas se enruga de um jeito que em geral acho fofo, mas que, neste exato instante, me parece irritante.

– Tá tudo bem com você?

– Tá – minto.

Ele aceita minha resposta sem questionar. Já reparei que Brock confia muito facilmente nas pessoas, sobretudo para um advogado. Qualquer outra pessoa provavelmente teria me interrogado em relação ao meu passado, mas ele não é assim. É um alívio não ter que lhe contar tudo, mas às vezes eu gostaria que ele me pressionasse. Estou cansada de guardar tantos segredos dele.

Brock e eu nos conhecemos durante um curto período no qual pensei que pudesse me interessar por algum tipo de carreira na área de direito, antes de perceber que meu passado tornaria isso difícil, senão impossível. A faculdade onde estudo me ofereceu a oportunidade de observá-lo trabalhar, embora, no primeiro dia, Brock tenha admitido, com uma voz acanhada:

O meu trabalho não é lá muito empolgante.

Eu me imaginara assistindo a audiências, mas, em vez disso, ele praticamente só mexia com a papelada enquanto eu observava.

Desculpa, disse ele ao final da nossa primeira semana juntos. *Tenho certeza de que você estava esperando outra coisa.*

Tudo bem, respondi. *Eu não queria mesmo ser advogada.*

Deixa eu compensar te levando pra jantar.

Mais tarde, Brock admitiu ter passado a semana inteira pensando num jeito de me chamar para sair. A verdade é que eu quase disse não. Ainda estava na fossa depois de Enzo ter me dito que não tinha a intenção de voltar para os Estados Unidos e não estava a fim de ter uma segunda desilusão amorosa. Mas então imaginei as lindas italianas dando em cima do meu ex-namorado e pensei: quer saber? Por que eu não deveria me divertir um pouco também?

Brock tem sido um bom namorado. A cada semana, fico procurando seu defeito fatal, mas ele se mantém tão perfeito que chega a ser frustrante. E quando descobriu que Xavier não tinha sido acusado de tentativa de estupro,

Brock ficou irritado, como era de se esperar. Ele se ofereceu para ir comigo à delegacia falar com o agente encarregado do caso, oferta que tive que recusar por motivos óbvios.

E então ele simplesmente desistiu. Passei a semana inteira sem conseguir parar de pensar no assunto, mas Brock seguiu em frente, embora não sem afirmar várias vezes o óbvio: preciso arrumar outro lugar para morar.

– Você está meio pálida – comenta Brock.

Esfrego a nuca, então me viro para olhar para trás. Tenho certeza de que vou dar de cara com Xavier, mas não há ninguém ali. Pelo menos, não que eu veja. Mas ele decididamente está ali.

– Vamos morar juntos – disparo.

Brock para de falar no meio de uma frase. Há uma gota minúscula de tahine no canto da sua boca.

– Como é que é?

– Acho que a gente tá pronto.

Outra mentira. Não me sinto pronta para ir morar com Brock, mas tampouco tenho qualquer intenção de algum dia voltar para meu apartamento no sul do Bronx enquanto Xavier estiver morando lá e não sei se vou me sentir segura em algum lugar daquele bairro. Nem ao menos tenho certeza de me sentir segura aqui, mas, no Bronx, com certeza não.

Em todo caso, é a coisa certa a dizer. Um sorriso imenso ilumina o rosto do meu namorado.

– Tá bom. Pra mim parece ótimo. – Ele estende a mão por cima da mesa e segura a minha. – Eu te amo, Millie.

Abro a boca, sabendo ter chegado a um ponto crítico no qual preciso retribuir a declaração. Mas, bem nessa hora, a sensação insistente na minha nuca se torna insuportável. Giro a cabeça depressa mais uma vez, certa de que vou dar com Xavier em pé, a poucos metros de onde estou, me encarando.

Meus olhos se estreitam enquanto vasculho a rua atrás de mim. Cadê esse babaca?

Mas não vejo Xavier em lugar algum. Ou ele se escondeu atrás de alguma caixa de correio, ou então não está ali. Só que vejo uma pessoa que não esperava encontrar.

Douglas Garrick.

DEZESSETE

Douglas Garrick está atrás de mim.

Mais especificamente, atravessando a rua. O sinal está vermelho para os pedestres, e quando ele pisa na faixa, um táxi amarelo buzina com força. Passo um instante observando-o, com o coração aos pulos. Por algum motivo, tinha partido do princípio de que era Xavier quem estava me seguindo, mas agora já não tenho mais tanta certeza. Terá sido Douglas desde o início?

– Peraí um instantinho – digo a Brock. – Volto já.

– Mas o que…

Não lhe dou oportunidade de concluir o raciocínio e saio em disparada pela rua atrás de Douglas, forçando um sedã azul a meter o pé no freio. O motorista me xinga, mas eu o ignoro e continuo andando.

O que Douglas está fazendo em East Village? Ele mora no Upper West Side e trabalha na Wall Street.

Se ele estava me vigiando, não está mais. E outra coisa interessante é que não está sozinho. Parece caminhar na companhia de uma mulher de cabelos loiros, agarrada a uma bolsa marrom de aspecto robusto, pendurada no ombro direito.

O que está acontecendo? Por que ele estava me vigiando? E quem é aquela mulher? Embora eu não tenha conseguido dar uma boa olhada em Wendy Garrick, já vi fotos dela, e sei que não é ela.

Eu o sigo por mais um quarteirão. Talvez esteja me iludindo, mas acho que ele não tem a menor ideia de que estou atrás dele e da mulher enquanto eles percorrem a Segunda Avenida. Ela está com a voz exaltada, mas não consigo ouvir o que os dois estão dizendo. E se eu chegar mais perto, eles talvez me vejam.

Não sei por quanto tempo mais vou poder segui-lo. Brock continua lá no restaurante e provavelmente acha que enlouqueci. Espero que esse pequeno incidente não seja incluído no seu telefonema semanal para mamãe e papai.

Felizmente, Douglas e a mulher param na frente de um prediozinho de tijolos. Assim como o meu, aquele ali não tem porteiro. Ela revira a bolsa em busca de uma chave, destranca a porta e a abre com um empurrão. Consigo dar uma boa olhada na mulher logo antes de os dois desaparecerem lá dentro.

É dolorosamente evidente o que está acontecendo. Douglas tem uma amante que mora naquele prédio. Ainda está cedo o suficiente para ele poder dizer a Wendy que ficou trabalhando até mais tarde quando chegar em casa.

Mas por que os dois estavam discutindo?

Não é difícil imaginar por quê, claro. Se ela for sua namorada, e ele sendo casado, talvez esteja com raiva por ele não ter largado a esposa. A mulher tinha pelo menos 30 e poucos anos, e não parecia uma qualquer só atrás de diversão. Talvez esteja esperando que Douglas largue Wendy para se casar com ela.

Ainda estou encarando o prédio de tijolos, tentando decidir qual vai ser meu próximo passo, quando o celular começa a tocar no meu bolso. Faço uma careta quando o nome de Brock aparece na tela. Queria ter deixado o telefone na bolsa. Mas, a essa altura, preciso atender a ligação. O cara me disse que podemos morar juntos, que me *ama*, e então pulei da cadeira feito uma louca e saí correndo na direção oposta.

– Millie? – Seu tom do outro lado da linha é de perplexidade. – O que houve? Pra onde você foi?

– Eu… eu vi uma amiga das antigas. Queria falar com ela. Faz anos que não a vejo.

– Tá… – Ele parece aceitar com relutância minha explicação ridícula, como eu sabia que faria. – Você vai voltar?

Lanço uma última olhada na direção do prédio.

– Vou. Daqui a alguns minutos estou aí.

– *Alguns minutos?*

O que quer que Douglas Garrick esteja fazendo lá dentro, não vou descobrir ficando aqui parada encarando o edifício. Então, começo a voltar para o restaurante, já me preparando para um interrogatório de Brock. Ele vai querer uma resposta mais elaborada que explique por que saí correndo daquele jeito. Mas a verdade vai me deixar parecendo louca.

– Já estou – digo para ele. – Juro.

– Quer que eu vá pagando a conta? – pergunta ele. – Você tá bem? O que tá acontecendo?

Atravesso a rua para voltar ao restaurante, apressando só um pouquinho o passo.

– Nada. Como eu disse, vi uma amiga das antigas.

– Você não parecia bem.

– Tô bem, sim – insisto. – Eu...

Bem na hora em que estou persistindo naquela desculpa, fico sem palavras. Porque estou olhando para algo que faz meu coração subir até a boca.

É um Mazda preto com a lanterna dianteira direita rachada. O mesmo que vi estacionado perto do meu prédio e, algumas vezes, perto de onde os Garricks moram.

Baixo os olhos para checar a placa. 58F321. Vasculho meu cérebro para tentar lembrar qual era a placa na última vez que vi o carro. Por que não anotei? Eu tinha tanta certeza de que iria me lembrar.

Mas aquela lanterna direita rachada. Aquilo me parece muito familiar.

– Millie? – A voz de Brock está saindo do meu celular. – Millie? Você tá aí?

Fico encarando o carro. O tempo todo, supus que fosse Xavier quem estivesse me seguindo. Mas agora encontro o mesmo carro estacionado perto do prédio da amante de Douglas. Embora não tenha cem por cento de certeza de que aquele seja o mesmo carro que vem me seguindo, seria capaz de apostar um bom dinheiro que sim. De fato, parece um carro bem simples para um multimilionário dirigir, mas talvez não, se ele estiver tentando passar despercebido.

Mas só tem um detalhe: por que Douglas estaria me seguindo? Afinal, venho tendo essa sensação antes mesmo de começar a trabalhar para a família Garrick. Isso significaria que Douglas vem me seguindo desde antes de eu começar a trabalhar para ele.

Uma sensação horrível de frio percorre minha espinha. O que está acontecendo?

DEZOITO

Hoje estou arrumando minhas coisas para me mudar.

A verdade é que ainda não me sinto bem em relação a ir morar com Brock, mas, se Xavier Marin estiver morando nesse prédio, não vou continuar nele. E devo admitir que não vai ser nenhuma tortura ficar no apartamento de dois quartos de Brock no Upper West Side. Lá não é exatamente uma mansão, mas o apartamento é lindo. Tem até uma varanda que *não* tem também a função de escada de incêndio. Além do mais, quando faz calor no verão, tem ar-condicionado. Ar-condicionado! É o ápice do luxo.

Brock me leva até o Bronx no seu Audi. O carro não tem tanto espaço no porta-malas, mas felizmente não tenho muitos pertences. Uma das vantagens desse apartamento era que ele já estava parcialmente mobiliado, então a maior parte das coisas não é minha. Tudo que não couber no porta-malas e no banco de trás do carro, eu posso deixar para trás.

– Estou tão feliz que a gente vai morar junto – comenta Brock enquanto percorremos as ruas até meu apartamento pela última vez. – Vai ser incrível.

O sorriso no meu rosto parece de plástico.

– Vai sim.

Como posso estar fazendo isso? Como posso estar indo morar com Brock sem ele saber a verdade em relação ao meu passado? Não é justo com ele. E não vai ser justo comigo quando ele descobrir e me chutar para a sarjeta.

Continuo trabalhando para a família Garrick... por enquanto. Quanto mais penso no assunto, menos certeza tenho de que Douglas estava me seguindo naquele dia. Afinal, ele estava conversando com a amante e não parecia nem um pouco concentrado em mim. Tirei conclusões precipitadas. E saber que meu patrão está tendo um caso não é motivo para largar um trabalho bem remunerado, sobretudo porque arrumar outro é sempre complicado para mim. Posso estar indo morar com Brock, mas seria um erro passar a depender dele. Preciso ter minha própria renda... só para o caso de ele me chutar mesmo para a sarjeta.

Num sinal vermelho, Brock estende a mão e a pousa no meu joelho. Ele sorri para mim e está tão, mas tão bonito – tipo um galã de cinema –, porém tudo em que consigo pensar é que isso é uma má ideia. Ele está cometendo um erro terrível sem nem saber. E parte de mim gostaria que ele tirasse a porcaria da mão do meu joelho.

Ele não disse de novo que me amava desde aquele dia no restaurante. Posso ver que está se coçando para dizer, mas já falou duas vezes, e eu sigo tendo dito um total de zero. Se ele falar de novo, das duas uma: ou vou ter que retribuir, ou então... Bom, vou ter que retribuir se quiser que esse namoro continue. Não resta mais dúvida.

Brock retira a mão do meu joelho quando entramos na minha rua.

– Ei, o que tá acontecendo aqui?

Tem uma viatura de polícia com as luzes piscando parada em frente ao meu prédio. Aperto os lábios um contra o outro para me segurar e não contar que tem viaturas paradas ali o tempo todo. Sinto um nó na barriga e me pergunto se existe alguma chance de a polícia estar ali por minha causa. Talvez Xavier tenha mudado de ideia quanto a prestar queixa.

Ai, meu Deus, será que eles vão me levar embora algemada?

– Brock – digo com urgência. – Talvez a gente devesse dar o fora daqui. Voltar outra hora.

Ele franze o nariz.

– Não vou dirigir até o Bronx de novo amanhã. Vamos, vai ficar tudo bem.

Bem na hora em que estou prestes a ter um ataque de pânico real, a porta do meu prédio se abre e um policial aparece, conduzindo até a rua um homem com as mãos algemadas nas costas. Pelo visto, não estão ali por minha causa, afinal. Deve ser mais uma apreensão de drogas.

Então vejo a cicatriz acima da sobrancelha esquerda do homem algemado. É *Xavier*.

Abaixo o vidro bem a tempo de ouvi-lo gritar para o policial que o conduz até a viatura:

– Vocês têm que acreditar em mim! Aquelas drogas... nunca vi aquilo antes. Não são minhas!

Mesmo dali, onde estamos estacionados, posso ver o policial revirar os olhos.

– Tá, é o que todas as pessoas dizem quando a polícia encontra quilos de heroína na casa delas.

Um segundo antes de chegarem à viatura, os olhos de Xavier se enchem de pânico. Embora com certeza saiba que isso é uma burrice, ele se desvencilha do policial e começa a correr pelo quarteirão. Está com as mãos algemadas nas costas, lógico, o que significa que não vai conseguir ir muito longe. O policial o alcança poucos segundos depois, e fico olhando enquanto ele é jogado no chão.

É o melhor espetáculo que vejo em meses.

Os olhos de Brock se arregalam diante da cena que se desenrola na nossa frente.

– Meu Deus. Que sorte a sua se mudar daqui.

– É ele – digo num arquejo. – O homem que me atacou.

– Uau. Quer dizer que ele também é traficante? Acho que não é nenhuma surpresa.

Não tive a impressão de que Xavier estivesse drogado durante nossas interações. Ele sempre me pareceu inteiramente sóbrio. Mas, se a polícia achou a droga no apartamento dele... melhor ainda, e se a quantidade tiver sido grande, o suficiente para dar a entender que ele estava traficando, ele não vai voltar tão cedo.

– Não preciso mais me mudar – disparo.

A boca de Brock se escancara.

– Como é que é?

– Ele não vai mais morar no prédio – assinalo. – Então não preciso sair.

Brock faz um biquinho.

– Não entendi. Você não *quer* morar comigo?

É uma pergunta incrivelmente capciosa. Sim, seria legal ter um pouco mais de espaço, um ar-condicionado e um porteiro para afastar os ladrões. Mas isso não é um bom motivo para ir viver com o namorado.

– Quero, sim – respondo. – Algum dia. Mas... ainda não.

– Entendi. – O tom dele é gélido.

– Sinto muito. – Estendo a mão para apertar a dele, mas Brock não aperta a minha de volta. – É que sou o tipo de pessoa que precisa do próprio espaço. Só isso.

Seus olhos azuis encontram os meus.

– É só isso mesmo?

Imagino que os pais de Brock devam ser o tipo de gente que verifica os antecedentes de qualquer mulher com quem o filho vá morar. Droga, pode ser que já tenham feito isso. Mas aposto que eles pesquisaram Millie Calloway, e essa foi minha única salvação. É só uma questão de tempo até descobrirem que meu primeiro nome na verdade é Wilhelmina, e então Brock vai descobrir tudo.

Preciso contar para ele antes de isso acontecer.

Mas, com o babaca do Xavier na prisão, pelo menos consegui um pouco mais de tempo.

DEZENOVE

A cobertura dos Garricks parece calma hoje.

Ouvi um barulho vindo do quarto de hóspedes, mas não foi um choro, nem gritos, nem qualquer outra coisa suspeita. O barulho só indicava que tinha alguém lá dentro, uma mulher que não devo incomodar.

Depois de encontrar o sangue naquela camisola, achei de verdade que Douglas fosse arrumar uma desculpa para me mandar embora, mas até agora ele não fez isso. O que é bom, levando em conta que preciso do dinheiro. (Brock continua dando indiretas para eu ir morar com ele, mas até o momento consegui me esquivar.)

E depois que tive alguns dias para pensar no assunto, não estou mais convencida de que aquele vermelho na camisola fosse tão ameaçador quanto pareceu na ocasião. Continuo certa de que a mancha era sangue, mas há muitos motivos inocentes para manchas de sangue em roupas. Já lidei com um número suficiente de crianças com sangramentos nasais abundantes para saber que é um erro tirar conclusões precipitadas. Então, consegui afastar o assunto da cabeça.

Bom, quase.

Depois de arrumar alguns dos outros quartos, percorro o corredor até o banheiro principal do segundo andar. Os banheiros em geral não são muito sujos. Faz sentido, levando em conta que só duas pessoas moram no apartamento, e eles mal parecem precisar de alguém para limpar a casa com tanta frequência, mas não sou eu quem vai discutir. Sou paga para fazer faxina, e se precisar limpar algo que já estiver razoavelmente limpo, é isso que vou fazer.

Só que, quando entro no banheiro agora, tem uma coisa que eu nunca tinha visto. Algo que me dá a sensação de ter levado um soco na barriga.

É uma mão impressa em sangue na pia do banheiro.

Bom, a bem da verdade, meia mão. Como se alguém tivesse agarrado a pia com a mão toda suja de sangue.

Baixo os olhos para o chão. Não tinha reparado assim que entrei, mas então percebo gotículas de sangue no piso de linóleo. Elas parecem formar um pequeno rastro.

Sigo o rastro de gotículas vermelhas para fora do banheiro. Como no corredor não tem luz, eu de alguma forma não reparei da primeira vez, mas agora posso ver os pontinhos de sangue formando um caminho no carpete. E a trilha vai dar na porta do quarto de hóspedes.

Eu não deveria bater na porta. Douglas deixou isso bem claro quando comecei a trabalhar aqui. E, na única vez que fiz isso, Wendy Garrick não ficou *nada* feliz em me ver.

Mas torno a pensar em Kitty Genovese. Como posso não investigar quando tem literalmente um rastro de sangue indo dar naquela porta?

Então ergo a mão fechada e bato.

Tinha ouvido alguns barulhos antes, mas de repente tudo fica em silêncio do outro lado da porta. Ninguém me diz para entrar ou para não entrar. Então, volto a bater.

– Sra. Garrick? – chamo. – Wendy?

Nenhuma resposta.

Cerro os dentes de tão frustrada. Não sei o que está acontecendo lá dentro, mas não vou embora até me certificar de que ela não está morrendo de hemorragia. Tenho uma regra de não fazer faxina quando existe um cadáver na casa.

Embora não devesse fazer isso, ponho a mão na maçaneta. Tento girá-la, mas ela não se move. *Está trancada.*

– Sra. Garrick – insisto. – O seu banheiro tá todo sujo de sangue.

Ainda sem resposta.

– Escuta, se a senhora não abrir a porta, vou ter que chamar a polícia.

Isso arranca uma reação dela. Ouço uma movimentação atrás da porta, seguida por uma voz levemente engasgada.

– Eu estou aqui. Estou bem. Não chame a polícia.

– Tem certeza?

– Tenho. Por favor… vá embora. Estou tentando dormir.

Eu poderia me afastar, mas na verdade não consigo. Não depois de ver todo aquele sangue no banheiro. Nem é tanto o fato de o sangue estar lá, mas de a pessoa que sangrou estar machucada demais para conseguir limpá-lo.

– Quero ver a senhora – digo. – Abra a porta, por favor.

– Eu estou bem… já disse. Só sangrei um pouco por causa de um dente rachado.

– Abra a porta por dois segundos, e eu a deixo em paz. Mas juro que não vou embora daqui até a senhora abrir a porta.

Faz-se outro silêncio demorado atrás da porta. Enquanto aguardo, meus olhos se desviam para o rastro de gotículas de sangue que vem do banheiro. Existem muitas explicações inocentes para isso. Ela poderia estar usando uma gilete e se cortou. Vai ver foi mesmo um dente rachado.

E existem também algumas explicações não tão inocentes assim.

Por fim, a maçaneta emite um clique. A porta foi destrancada. E, muito devagar, ela a entreabre.

E tenho que tapar a boca com uma das mãos para não dar um grito.

VINTE

– Wendy – digo num arquejo. – Meu Deus.

– Eu já disse – insiste ela. – Estou bem. Não é tão ruim quanto parece.

Já vi muita coisa ruim na vida, mas o rosto de Wendy Garrick vai passar anos me assombrando. A mulher tinha sido espancada, e pelo visto não foi tudo de uma vez só. Os hematomas que cobrem seu rosto estão em estágios variados de cicatrização. Um deles, na maçã esquerda do rosto, parece recente, mas outros têm um aspecto amarelado que dão a impressão de terem sido causados por uma pancada ocorrida bem antes.

Wendy me disse que o sangramento tinha vindo de um dente, e acredito piamente que o que quer que tenha feito isso com seu rosto foi suficiente para arrancar um dente mesmo.

– É por causa dos remédios que eu tomo – explica ela. – Eu caí, e tomo anticoagulantes. Por isso fico roxa com facilidade.

Essa mulher por acaso se olhou no espelho? Ela está mesmo tentando me dizer que isso tudo aconteceu por causa de uma *queda*?

Wendy está usando uma camisola cor-de-rosa florida e, assim como o banheiro, a frente está suja de sangue. E essa nem é a primeira camisola suja de sangue que vejo desde que trabalho aqui.

– Você precisa ir para o hospital – consigo dizer.

– Hospital? – Ela se retrai. – E o que exatamente eles fariam?

– Verificariam se você está com algum osso quebrado.

– Não estou. Estou bem.

– E depois você poderia fazer uma denúncia – acrescento.

Wendy Garrick me encara com os olhos rodeados de hematomas. Inspira e faz uma careta. Fico me perguntando se está com alguma costela quebrada. Não me espantaria.

– Escuta, *Millie* – diz ela em voz baixa. – Você não faz ideia do tipo de coisa com que está lidando. Você *não* vai querer se meter nessa história. Precisa ir embora e me deixar em paz.

– Wendy...

– Estou falando sério. – Seus olhos roxos ficam mais arregalados, e pela primeira vez vejo medo de verdade ali. – Se souber o que é bom pra você, precisa fechar essa porta e dar o fora daqui.

– Mas...

– Millie, você tem que *ir embora*. – E agora sua voz tem um tom de urgência terrível. – Você não faz ideia. *Vá embora*, só isso.

Abro a boca para protestar, mas, antes de conseguir fazer isso, ela já bateu a porta na minha cara.

O recado está bem claro. Seja lá o que esteja acontecendo nesta casa, Wendy *não* quer minha ajuda. Ela quer que eu fique fora disso. Que vá cuidar da minha vida.

Infelizmente, nunca fui muito boa nisso.

VINTE E UM

Em 2007, um aclamado violinista chamado Josh Bell, que pouco antes tinha dado um concerto com lotação máxima e preço médio dos ingressos chegando a 100 dólares cada, se passou por um músico de rua. Ele foi para uma estação de metrô em Washington, de calça jeans e boné de beisebol, e lá tocou exatamente a mesma música que havia tocado no concerto, num violino de fabricação artesanal avaliado em mais de 3,5 milhões de dólares.

– Quase ninguém parou para escutar – explica o Dr. Kindred para o auditório lotado de alunos. – Na verdade, quando as crianças às vezes paravam, os pais as puxavam para continuarem andando. O homem deu um concerto com lotação esgotada em Boston, e naquele dia apenas umas cinquenta pessoas pararam por tempo suficiente para deixar 1 dólar no estojo do violino dele. Como vocês explicam isso?

Após um momento de hesitação, uma moça na primeira fila levanta a mão. Essa daí está sempre ansiosa para responder às perguntas.

– Acho que em parte é pelo fato de a beleza ser mais difícil de identificar num contexto modesto.

Pego o metrô todo dia para ir do Bronx até Manhattan, e muitas vezes vejo pessoas tocando seus instrumentos enquanto espero o trem chegar. Por motivos nos quais prefiro não pensar, a estação mais próxima do meu prédio vive fedendo a urina, mas, se tiver alguém tocando música enquanto espero, não é tão ruim assim.

Eu teria parado para escutar Josh Bell. Talvez tivesse até deixado 1 dólar no estojo do violino dele, embora eu precise de cada dólar que ganho.

– Tá – diz o Dr. Kindred. – Algum outro fator possível em jogo?

Hesito por alguns segundos antes de levantar a mão. Em geral, não participo em sala de aula porque tenho uns dez anos a mais do que a segunda pessoa mais velha da turma (tirando o professor). Só que pelo visto ninguém mais vai responder.

– Ninguém queria ajudá-lo – digo.

O Dr. Kindred assente e coça o cavanhaque.

– Como assim?

– Bom… Ele estava com um estojo de violino cheio de notas e moedas. As pessoas imaginavam que estivesse querendo ajuda na forma de dinheiro. E como não queriam ajudá-lo, elas o ignoravam. Sentiam que parar teria significado que seriam obrigadas a ajudar.

– Ah. – Ele assente. – Então isso não depõe muito a favor da raça humana, se ninguém se dispôs a apreciar uma bela música só porque isso significava que talvez precisassem ajudar uma pessoa necessitada.

Como o professor continua olhando para mim, sinto que preciso dizer alguma coisa.

– Pelo menos cinquenta pessoas pararam. Já é alguma coisa.

– Verdade – concorda ele. – É *mesmo* alguma coisa.

Mas eu teria ajudado. Sempre ajudo. Nunca, *nunca* consigo ir embora, nem quando deveria.

Depois do final da aula, bem quando estou saindo do prédio, vejo um rosto conhecido vindo pela rua na minha direção. Fico meio surpresa ao perceber que é Amber Degraw, a mulher que me mandou embora depois que sua filha pequena não parava de me chamar de "mamã". Mas o mais surpreendente é vê-la empurrando um carrinho ocupado pela pequena Olive, entretida brincando com algum tipo de chocalho enfiado o mais fundo possível na boca. Seus dedinhos estão todos grudentos de baba.

Quando eu trabalhava para Amber, ela nunca parecia interessada em levar Olive para passear. Então isso é uma boa coisa para as duas.

Cogito me esconder na esquina para evitar um encontro constrangedor, mas então Amber me vê e ergue a mão para um cumprimento animado. Pelo visto, ela esqueceu por completo a forma como me demitiu.

– Millie! – chama ela. – Nossa, que *prazer* encontrar você!

É mesmo? Porque não foi isso que ela disse na última vez que nos vimos.

– Oi, Amber – respondo, já resignada com o fato de ter que travar um diálogo educado.

Ela para ao meu lado e solta a barra do carrinho por tempo suficiente para alisar os brilhantes cabelos loiro-acobreados. Nesse dia Amber está toda de couro. Veste uma calça de couro enfiada num par de botas de couro que vão até os joelhos e um casaco de couro marrom-claro.

– Como vai? – Ela inclina a cabeça de lado como se eu fosse uma amiga aleatória que estivesse passando por um período de azar, não uma pessoa que ela demitiu. – Tudo bem?

– Tudo – respondo entredentes. – Tudo ótimo.

– Onde está trabalhando agora?

Reluto em lhe contar qualquer coisa sobre meu trabalho atual. Ela mesma já me demitiu por um motivo completamente besta; considero essa mulher capaz de qualquer coisa.

– Estou entre um emprego e outro.

– Vi você na rua outro dia – comenta ela. – Você estava entrando naquele prédio antigo da 86th Street. Douglas Garrick mora lá, não mora?

Congelo, espantada por ela saber disso. Mas, pensando bem, nas rodas de gente rica, todo mundo parece conhecer todo mundo.

– É, estou trabalhando para os Garricks agora.

– Ah, é isso que você estava fazendo lá?

O sorriso nos lábios de Amber me deixa pouco à vontade. O que exatamente ela está sugerindo?

– Sim...

Ela me dá uma piscadela.

– Tenho certeza de que está aproveitando ao máximo.

Não gosto do tom de voz dela, mas lembro a mim mesma que não preciso ficar ali parada conversando com Amber; essa é uma das vantagens de não trabalhar mais para ela. Mas preciso dizer oi para a pequena Olive, cujo queixo está lustroso de baba. Faz um tempinho que não a vejo, e um bebê pode mudar bastante nessa idade. Ela provavelmente mal vai me reconhecer.

– Oi, Olive! – exclamo, animada.

Olive retira o chocalho do fundo da garganta e ergue os imensos olhos azuis para me encarar.

– Mamã! – guincha ela, contentíssima.

O rosto de Amber perde toda a cor.

– Não! Ela não é sua mamã! A sua mamã sou *eu*!

– Mamã! – Olive estica os braços rechonchudos para tentar me alcançar. – Mamã!

Como não pego Olive no colo, a menininha começa a soluçar. Amber me lança um olhar ressentido.

– Olha como você deixou ela triste!

Com esse comentário, Amber dá meia-volta e sai em disparada pela rua para se afastar de mim, enquanto Olive continua chorando, aos gritos de "Mamã!". Apesar de tudo, o encontro me faz sorrir. Então, no fim das contas, ela se lembrava de mim.

Enquanto observo Amber desaparecer ao longe, meu telefone começa a tocar; na mesma hora, meu bom humor evapora. Provavelmente deve ser Douglas dizendo que estou demitida por ter importunado sua esposa, ou então Brock, o que seria ainda pior.

As coisas têm andado decididamente frias entre nós dois desde que eu lhe disse de uma hora para a outra que não queria mais morar com ele. Expliquei várias vezes minha necessidade de ter meu próprio espaço e que me sentia mais segura agora que Xavier fora preso até segunda ordem, mas, mesmo assim, ele continua sem entender. Tenho uma sensação ruim de que a nossa relação vai ter que progredir muito, muito em breve, caso contrário, vai terminar.

Só que, quando olho meu telefone, não é nem Douglas nem Brock. É um número que não reconheço.

– Alô?

– Wilhelmina Calloway?

Demoro a responder, imaginando se a voz do outro lado da linha vai dizer que a garantia do meu carro está a ponto de vencer, ou então vai começar a falar sem parar em algum idioma estrangeiro.

– Isso...

– Oi! Meu nome é Lisa, eu trabalho no EmpregoJá!

Meus ombros relaxam. EmpregoJá foi o serviço que usei para pôr meu anúncio à procura de trabalhos como empregada doméstica.

– Oi, Lisa.

– Sra. Calloway – diz Lisa, com sua voz animada –, nós não recebemos nenhuma resposta aos nossos e-mails, então esta é nossa segunda ligação com relação ao seu cartão de crédito.

– Meu cartão de crédito?

– Isso – confirma Lisa. – O seu American Express foi negado.

Balanço a cabeça; que burrice a minha.

– Sinto muito. Eu cancelei esse cartão. Deveria ter usado meu MasterCard. Mas não preciso mais do anúncio.

– Bom – prossegue Lisa –, só quero ter certeza de que a senhora entende que o anúncio não chegou a ser publicado, porque nunca recebemos o pagamento.

Paro de andar bem no meio da Primeira Avenida.

– Peraí – digo. – Meu anúncio me oferecendo como empregada doméstica não foi publicado?

– Infelizmente, não, porque nunca recebemos o pagamento. Como eu disse, temos tentado entrar em contato com a senhora…

Mas não estou mais escutando. Não sei como é possível o anúncio sobre os meus serviços nunca ter sido publicado na internet.

– Tem certeza? – disparo. – Está dizendo que o meu anúncio nunca foi publicado? Nem por um dia?

– Nem por um dia sequer – confirma Lisa.

Tento recordar a época em que estava procurando emprego, uns dois meses antes. A maioria das entrevistas tinha sido com potenciais empregadoras que eu mesma havia procurado por meio dos anúncios delas. Na verdade, uma única pessoa entrou em contato comigo primeiro.

Douglas Garrick.

VINTE E DOIS

Tudo que sei é que vou descobrir que história é essa.

Douglas Garrick ligou para *mim*. Eu me lembro muito bem disso. Atendi o celular, e ele me disse que estava à procura de uma empregada que pudesse fazer faxina, lavar roupa, cozinhar um pouco e resolver assuntos ocasionais na rua. Não comentou nada sobre o anúncio, ou pelo menos acho que não, mas na época simplesmente parti do princípio de que fosse por isso que ele estivesse ligando. Afinal, não havia outro motivo.

Como ele conseguiu meu telefone se não foi pelo anúncio?

A coisa toda me provoca certa náusea. Continuo com a sensação de que tem alguém me vigiando, embora Xavier teoricamente esteja preso. E aquele Mazda preto estava estacionado em frente ao prédio no qual Douglas entrou com a amante. De alguma forma, Douglas tinha meu telefone, apesar de o anúncio nunca ter sido publicado.

Ele sabia quem eu era.

Fico parada na rua, em frente a uma pizzaria. O aroma apetitoso de molho de tomate, gordura e queijo derretido invade minhas narinas, mas só faz eu me sentir mais enjoada. Vasculho a rua à minha frente em busca de qualquer coisa suspeita.

Não vejo Douglas. Não vejo Xavier.

Mas tem alguém por aí. Alguém está me vigiando. Tenho certeza absoluta.

Tiro o celular do bolso outra vez. Tem uma mensagem de Douglas confirmando minha ida hoje à noite, embora eu tenha estado lá dois dias antes e tenha certeza de que a casa continua praticamente imaculada. Em geral, respondo com outra mensagem, mas dessa vez fico encarando a tela. Antes de conseguir me controlar, clico no número dele para fazer uma chamada.

Enquanto a ligação completa e começa a chamar, um telefone toca bem atrás de mim. Sinto um nó na barriga.

Dou meia-volta, mas o telefone que está tocando é de uma adolescente. Ela atende, e posso ouvi-la gritar "Ai, meu Deus!" no aparelho ao passar por mim. Caramba, estou mesmo com os nervos à flor da pele.

– Alô? Millie?

É a voz de Douglas do outro lado da linha. Ele não está um metro atrás de mim. Onde quer que esteja, o lugar soa bem mais tranquilo do que a rua movimentada onde me encontro.

– Ah, oi.

– Está tudo bem? Você vai hoje fazer faxina lá em casa?

– Vou… – Amaldiçoo a mim mesma por não ter inventado uma história antes de ligar. Agi por impulso. – Estava só atualizando meu currículo e queria perguntar uma coisa rapidinho.

– Você não vai abandonar a gente, vai? – A voz dele tem um quê de bom humor, mas também algo sombrio abaixo da superfície. – Espero que não.

– Não, com certeza não. Eu só queria arrumar algum trabalho extra, e fiquei pensando em como você ouviu falar de mim. Tipo, como arrumou meu telefone quando me ligou?

Ele passa alguns segundos pensando.

– Na verdade, foi a Wendy quem me deu seu telefone.

– Wendy? Sua esposa?

– Você conhece alguma outra? – Ele dá uma risadinha. – Ela me disse que uma amiga tinha dado seu telefone para ela e dito que você era muito boa.

– Ela disse qual amiga?

– Não. – A voz passou a assumir um tom ligeiramente defensivo. – Já demos bastante informação. Por favor, não incomode Wendy com isso.

– É claro que não. Muito obrigada pela informação. E com certeza estarei lá hoje à noite.

Estarei lá hoje à noite, sim. Mas, se ele acha que não vou perguntar nada a Wendy sobre isso, está muito enganado.

VINTE E TRÊS

Esta noite, chego na cobertura com os braços repletos de roupas trazidas da lavagem a seco. Todas elas pertencem a Douglas Garrick. Estou segurando quatro ternos, cada um dos quais custou mais do que ganho num ano inteiro, com certeza. Se decidisse fugir e tentasse vender esses ternos por conta própria, provavelmente resolveria a minha vida. Só que não vale a pena. Já estou com medo de Douglas, e a última coisa que quero fazer é deixá-lo com raiva de mim.

Embora o que estou prestes a fazer hoje possa muito bem acabar tendo essa consequência.

Quando entro na sala com as roupas penduradas nos braços, a casa está em silêncio. Wendy deve estar lá em cima, e Douglas provavelmente ficou trabalhando até mais tarde… ou então está com a amante. Levo as roupas até o segundo andar, e as batidas dos meus tênis em cada degrau ecoam pela cobertura. Já fiz faxina em lugares muito maiores do que essa cobertura, mas nunca estive em uma que parecesse ter ecos tão altos. Fico me perguntando se tem a ver com a idade do edifício.

Não é nenhuma surpresa a porta do quarto de hóspedes estar trancada. Pego as roupas e as levo até a suíte master. Penduro os ternos de Douglas no closet, mas só consigo pensar na mulher trancada naquele quarto. Estou decidida a falar com ela hoje.

Então, assim que termino de guardar os ternos, subo o corredor até o quarto de hóspedes.

Por algum motivo, as luzes do corredor não acendem. Uma vez perguntei a Douglas por quê, e ele respondeu que era algum problema de fiação. Balbuciou algo sobre mandar consertar, mas essas luzes nunca funcionaram desde que comecei a trabalhar aqui. Além do fato de a arquitetura ser tão antiga, a falta de iluminação do segundo andar dá ao ambiente um ar sinistro.

Paro em frente ao quarto de hóspedes. O carpete sob meus pés está limpo: esfreguei todo o sangue do banheiro e removi as manchas do carpete com água oxigenada. Não há mais sinal algum de que o sangue de Wendy algum dia tenha pingado no carpete. E Douglas não sabe que eu sei.

Ergo a mão, pronta para bater na porta, e um arrepio me percorre. Não consigo deixar de me lembrar do alerta de Wendy na última vez que falei com ela.

Se souber o que é bom pra você, precisa fechar essa porta e dar o fora daqui.

Engulo minhas dúvidas. Não, eu *nunca* vou embora, *nunca* vou deixar para trás alguém em necessidade. Com a determinação renovada, bato com a mão fechada na porta.

Estou totalmente preparada para implorar outra vez para ela abrir, mas dessa vez ouço passos atrás da porta fechada. Segundos depois, uma fresta se abre. Mais uma vez, me pego encarando o rosto cheio de hematomas de Wendy, embora ele esteja bem melhor do que alguns dias atrás.

– O que foi? – A voz dela tem um tom de resignação. – Eu estava tentando dormir.

Baixo os olhos para sua camisola amarelo-clara, que felizmente dessa vez não parece ter qualquer mancha de sangue.

– Que camisola bonita. Eu sempre acabo dormindo com a minha camiseta do Mets.

Ela cruza os braços.

– Foi pra dizer isso que você me acordou?

– Não… não foi. Na verdade, eu queria te perguntar uma coisa.

Wendy passa o peso do corpo de uma perna para a outra; está calçando chinelos. Eu nunca tinha reparado no quanto ela é magra. A mulher é praticamente esquelética. Imagino que possa ser por causa da doença, mas não sei se algum dia já vi uma mulher tão magra assim. Ela tem a clavícula dolorosamente saltada, e, quando puxa a camisola, posso distinguir cada osso da sua mão cheia de veias azuis. Os olhos parecem enormes no rosto magro.

– O que você quer?

– Quero saber como você arrumou meu telefone.

Ela brinca com uma mecha dos cabelos ruivos, e reconheço a pulseira pendurada no seu pulso. É a mesma que Douglas lhe deu de presente pouco tempo antes.

– Como assim?

– Douglas me contou que você deu meu telefone para ele me ligar e me convidar para trabalhar aqui. Mas como você conseguiu meu número?

– Você colocou um anúncio, não? Deve ter sido assim. – Ela solta um longo suspiro. – Agora, se não se importa, vou voltar para a cama. O dia foi comprido.

– Na verdade, descobri que o anúncio nunca foi publicado. Então, como já disse: como foi que você conseguiu meu telefone?

Quase posso ver as engrenagens girando dentro do cérebro de Wendy. Antes de ela conseguir inventar outra mentira, eu a interrompo:

– Diga a verdade.

Wendy baixa os olhos.

– Por favor. Não quero fazer isso. Esqueça essa história e pronto.

– Me fala – digo entredentes.

– Por que você nunca faz o que eu peço? – Ela ergue as mãos. – Tá. Eu peguei seu telefone com Ginger Howell.

E nessa hora sinto como se alguém tivesse acabado de me dar um soco do nada. Eu sei quem é Ginger Howell, mas faz anos que não a vejo. Dois anos, para ser exata. Ela foi uma das últimas mulheres para quem trabalhei antes de Enzo viajar para a Itália. Nós lhe arrumamos um advogado disposto a trabalhar para ajudá-la a se divorciar do monstro que era seu marido. Ele lutou com unhas e dentes, e estávamos a ponto de conseguir um passaporte e uma identidade novos para ela quando o marido finalmente a deixou ir embora.

Espero que ela esteja bem. Ginger parecia ser uma boa pessoa. Não merecia o que o marido estava fazendo com ela.

Mas, se Wendy tinha ouvido falar de mim por Ginger, nesse caso...

– Wendy, por que você disse para o Douglas me ligar? – pergunto. Ela começa a abrir a boca, e então emendo: – Preciso que me diga o verdadeiro motivo.

Ela continua sem olhar para mim, e em vez disso encara o carpete.

– Acho que você já sabe por quê.

Um apito difuso ecoa no fundo da minha mente. Desde o momento em que entrei aqui, desconfiei que houvesse alguma coisa estranha em relação a esta casa. Porém, toda vez que tentei estender a mão para Wendy, ela não pareceu interessada em falar comigo.

– Eu quebrei o pulso – diz ela com amargura. – Ele me empurrou, e eu quebrei, mas quando o médico veio, ele se recusou a sair do quarto. Tive que dizer que escorreguei no chão molhado e caí. Esse foi o único motivo pelo qual ele me deixou chamar alguém para ajudar com a casa... do contrário, ele nunca deixa mais ninguém entrar aqui.

Meus punhos se fecham.

– Por que você não falou nada?

– Porque foi uma burrice trazer você pra cá. – Seus olhos vermelhos ficam marejados. – Eu estava desesperada, mas quando te vi, sabia que não conseguiria ir até o fim. Você não conhece o Douglas. Não sabe como ele é. Fugir dele *não é* uma opção.

– Você está enganada.

Ela joga a cabeça para trás e dá uma risada ácida.

– Você não faz ideia do que está falando. Douglas está *por toda parte*. Ele vê *tudo*.

Recordo todas as ocasiões na rua em que tive a sensação de que havia alguém me observando.

– Ele está nos vendo agora? Está ouvindo esta conversa?

– Eu... eu não sei. – Ela olha de relance para o corredor. – Não consegui encontrar nenhuma câmera na casa, mas isso não quer dizer que não tenha. Douglas tem acesso a tecnologias que eu e você não conseguimos sequer imaginar. Ele é um gênio, sabe. – Dessa vez, seu riso é triste. – Eu achava isso atraente nele.

– Mesmo assim, vale a pena tentar.

As bochechas roxas dela enrubescem de leve.

– Você não está entendendo. Ele gastaria cada centavo que tem pra me encontrar.

Ela tem razão... e Douglas tem muitos centavos para gastar. Com um marido como ele, fugir seria difícil; eu de fato não faço ideia do que ele é capaz. E não sei se posso ajudar Wendy. Principalmente já que não disponho dos recursos que Enzo tinha... Eu não tenho "um cara" para tudo. Por isso, jurei que largaria essa vida e me concentraria em tirar meu diploma, para poder ajudar mulheres de um modo que não envolvesse infringir a lei.

Apesar disso, cada molécula do meu corpo está gritando que preciso ajudar essa mulher... e agora.

Eu nunca passaria direto no metrô por um homem que precisasse de ajuda. Ou por uma mulher que estivesse sendo esfaqueada até a morte em frente à minha janela. Não posso permitir que isso aconteça debaixo do meu nariz.

– Você tem algum dinheiro? – pergunto. – Dinheiro vivo, quero dizer?

De modo hesitante, ela assente.

– Tenho vendido aos poucos algumas das minhas joias. Eu tenho tantas... toda vez que me bate, ele me compra alguma coisa nova e cara. Tenho algum dinheiro escondido num lugar onde acho que ele não vai encontrar. Não vai durar muito, mas quem sabe dure o suficiente.

Minha cabeça está a mil.

– Tem alguma amiga que possa te ajudar? Amigas que ele talvez desconheça? Amigas do ensino médio, da faculdade ou...

– Por favor, para – pede ela com a voz aguda. – Você não parece estar entendendo o que estou tentando te dizer. O Douglas é muito perigoso. Você não pode subestimar esse homem. Se tentar me ajudar, não vai dar certo e... e você vai se arrepender. Confia em mim.

– Mas, Wendy...

– *Eu não consigo, tá bom?*

Ela baixa os olhos para a pulseira no pulso esquerdo; eu me lembro do quanto Douglas estava orgulhoso ao me mostrar a joia. Com uma expressão desvairada nos olhos, ela mexe no fecho até a pulseira escorregar do seu pulso fino.

– Odeio os presentes que ele me dá. – A amargura escorre de sua voz. – Mal consigo olhar pra eles, mas ele espera que eu use.

Ela embola a pulseira dentro do punho fechado, então estende a mão e segura a minha. Pressiona a pulseira na minha palma.

– Tira esse troço da minha frente. Não consigo mais nem olhar pra isso. Se ele perguntar, eu digo... digo que perdi.

Abro a mão para olhar a pequena pulseira. Fico imaginando se estaria manchada com o sangue dela.

– Wendy, eu não posso ficar com isso.

– Então joga fora – retruca ela. – Não quero mais isso dentro da minha casa. Principalmente depois do que ele mandou gravar.

Aproximo a pulseira do rosto para examinar a gravação. Leio as letras diminutas:

Para W, Minha para sempre, Com amor, D

– Dele para sempre – diz ela com amargura. – Propriedade dele.

O recado é inconfundível.

– Por favor, deixa eu te ajudar. – Seguro o pulso dela, esquecendo que talvez seja o que foi quebrado. Ela faz uma careta, e eu solto. – Faço o que for preciso. Não tenho medo do seu marido. A gente vai conseguir encontrar uma saída.

E então vejo nos olhos dela. Uma centelha de hesitação. De *esperança*. Dura apenas uma fração de segundo, mas está ali. Essa mulher está desesperada.

– Não – diz ela com firmeza. – E agora você precisa ir embora.

Antes de eu conseguir dizer mais alguma palavra, ela bate a porta na minha cara.

Wendy Garrick sente um terror absoluto pelo marido... e eu também tenho medo dele. Mas, depois de todos esses anos, aprendi a não me deixar controlar pelo medo. Enfrentei Xavier. Já enfrentei homens tão poderosos quanto Douglas. Pouco me importa o que Wendy diz. Eu consigo dar conta dele.

VINTE E QUATRO

Se eu ganhasse um centavo toda vez que um ciclista quase me atropela quando atravesso a rua, não precisaria trabalhar para a família Garrick. Quando estou atravessando para chegar ao prédio dos Garricks, um ciclista sem capacete e segurando um celular junto ao ouvido passa a milímetros de me mandar para o hospital. Por que será que são sempre os ciclistas de celular que também estão sem capacete? É tipo uma *regra*.

Logo antes de chegar na entrada do prédio, meu celular toca dentro da bolsa. Hesito, cogitando a possibilidade de deixar cair na caixa postal. Então reviro a bolsa e pego o aparelho. É Brock. Me sinto ainda mais tentada a ignorar. Não quero ter mais uma conversa sobre por que não posso ir morar com ele. Ou, como ele gosta de dizer, por que não *quero* ir morar com ele.

Por fim, dou um suspiro e aperto o botão verde do telefone para aceitar a ligação.

– Oi.

– Oi, Millie – diz ele. – Topa jantar hoje?

– Hoje devo sair tarde da casa dos Garricks – respondo, o que não é de todo mentira.

– Ah.

Fico imaginando quantos convites para jantar vou ter que recusar antes de ele parar de me convidar. E não quero isso. Gosto muito de Brock, apesar de talvez ainda não amá-lo. Não quero perdê-lo.

– Escuta – digo. – O Douglas vai passar uns dias fora a partir de amanhã, então eles não vão precisar que eu cozinhe. E se a gente jantar amanhã à noite?

– Tá bom. – A voz dele soa meio esquisita. – Quando formos jantar, acho que a gente também precisa ter uma conversa.

Deixo escapar um riso engasgado.

– Isso não está me cheirando bem.

– É que… – Ele pigarreia. – Millie, eu gosto muito de você. A gente só precisa conversar sobre a minha situação.

– Não tem nada de errado com a sua situação.

– Tem certeza?

Não sei o que responder. Mas ele tem razão. Brock e eu precisamos conversar. E quanto antes, melhor. Preciso abrir o jogo com ele em relação a tudo sobre o meu passado, e então ele vai poder decidir se quer ou não continuar o namoro. Gosto de pensar que ele é um cara bom o suficiente para não se assustar com uma década na prisão, mas não paro de imaginar a expressão no seu rosto quando eu contar. E não é uma expressão feliz.

– Tudo bem – concordo. – Vamos conversar.

– Você me encontra lá em casa às sete?

– Claro.

Há uma pausa do outro lado da linha, e quase fico com medo de ele dizer que me ama outra vez, mas, em vez disso, ele fala:

– A gente se vê amanhã.

Depois que desligamos, passo um instante olhando para a tela do meu celular. E se eu telefonasse de novo agora mesmo e contasse tudo? Arrancasse o band-aid e pronto. Aí não precisaria esperar e passar mais um dia andando por aí com essa sensação de dor na barriga.

Não, não consigo. Vai ter que ser amanhã.

Prossigo na direção do prédio com uma sensação de peso no fundo do estômago. O porteiro se adianta e segura a porta para mim, e, ao fazê-lo, me dá uma piscadela.

Isso me parece meio estranho. O cara tem no mínimo trinta anos a mais do que eu. Será que está tentando me cantar? Passo alguns segundos tentando me lembrar se já reparei nele piscando para mim antes, mas então tiro o assunto da cabeça. Um porteiro tarado é o menor dos meus problemas.

Quando as engrenagens do elevador se detêm no vigésimo andar e as portas se abrem para a cobertura, quase morro de susto. Em todas as vezes que vim aqui nos últimos meses, nunca tinha visto isso. E basta para me deixar de queixo caído.

Wendy está parada em frente à porta do elevador do apartamento: ela saiu do quarto. E está me encarando com seus grandes olhos verdes.

– A gente precisa conversar – declara ela.

VINTE E CINCO

Wendy me segura pelo braço e me puxa para o sofá. É forte para uma mulher tão magra. Por algum motivo, isso não me deixa tão espantada assim.

Eu me sento no sofá e ela se acomoda ao meu lado, alisando a camisola por cima dos joelhos ossudos. Os hematomas em seu rosto melhoraram, mas os olhos estão tão vermelhos quanto da última vez que a vi.

– Você disse que estava disposta a me ajudar – diz ela. – Estava falando sério?

– É claro que estava!

Seus lábios esboçam o mais débil dos sorrisos. Nesse instante me dou conta de que Wendy é muito bonita. Com o corpo maltratado e os hematomas, não tinha reparado antes.

– Eu segui seu conselho.

– Que conselho?

– Depois que você foi embora, pensei em me matar – conta ela.

Dou um arquejo.

– Não foi *esse* o conselho que eu te dei!

– Eu sei – responde ela depressa. – Mas é que tudo pareceu tão sem solução… Quando fiz o Douglas contratar você, foi como o meu último bote salva-vidas para sair dessa situação desesperadora. E, quando te mandei embora, a sensação que tive foi de que não havia possibilidade nenhuma de fugir dele algum dia. Então, fui até o banheiro e pensei em cortar os pulsos.

– Ah, Wendy, meu Deus…

– Mas não cortei. – Ela firma o maxilar. – Porque, pela primeira vez, não me senti totalmente sozinha. E me lembrei do que você tinha dito sobre pedir ajuda para alguém que o Douglas não conhecesse. Alguém do meu passado que ele nunca tenha encontrado. Foi aí que me lembrei da Fiona, minha antiga colega de faculdade. Ela era uma das minhas melhores amigas e tem séculos que a gente não se fala, e eu não tinha contato nenhum com ela pelas redes sociais.

Ergo as sobrancelhas para ela.

– Então você vai tentar encontrar essa Fiona?

– Já encontrei. – As faces habitualmente pálidas de Wendy ficam coradas. – Consegui o número dela ligando para outra amiga de faculdade… a quem pedi sigilo total, claro… e hoje de manhã Fiona e eu ficamos horas no telefone. Ela tem uma fazenda bem perto de Potsdam, no norte do estado de Nova York. Vive praticamente fora do radar, a não ser pelo telefone fixo. Contei tudo a ela sobre a minha situação, e ela me disse que eu poderia ficar com ela o tempo que precisasse.

Embora eu aplaudisse aquela iniciativa, não iria resolver o problema dela. Mesmo que Douglas não a encontrasse lá, ela não poderia ficar escondida para sempre no norte do estado. Nem sequer teria como arrumar um emprego sem qualquer tipo de documento de identidade ou número de previdência social. Era com isso que Enzo costumava ajudar. Com o tipo de recurso de que dispõe, Douglas vai encontrá-la num piscar de olhos se ela usar seu nome verdadeiro. Também aprendi, por experiência própria, que de nada adianta procurar a polícia em se tratando desses homens incrivelmente ricos e poderosos; eles sabem como molhar as mãos certas.

– Sei que isso não é uma solução permanente – reconhece ela. – Mas tudo bem se eu puder só passar um tempinho lá até resolver qual vai ser meu próximo passo. Quem sabe consigo arrumar um advogado que possa me ajudar com os trâmites legais enquanto eu estiver escondida dele. Ou quem sabe consigo encontrar alguém que me ajude a recomeçar do zero. – Ela inspira, trêmula. – O mais importante é que não vou mais estar com ele. E ele não vai conseguir chegar até mim.

– Que incrível, Wendy.

E estou sendo sincera, mesmo prestes a perder um trabalho muito bem remunerado. Guardei a tal pulseira que ela enfiou na minha mão outro dia, e provavelmente conseguiria penhorar e pagar um mês de aluguel. Além do mais, tenho a sensação de que, depois da minha conversa com Brock amanhã, talvez a gente resolva morar juntos, afinal. (Ou terminar de vez. Ou uma coisa, ou outra.)

– Mas tem uma questão – ressalta Wendy. – Preciso da sua ajuda.

– Claro! O que você precisar.

– É meio difícil o que vou pedir – revela ela. – Mas vou te compensar.

– *Qualquer coisa.*

– Preciso de uma carona. – A mão dela está tremendo de leve quando ela puxa a gola da roupa. – Meu plano é, quando o Douglas viajar amanhã, aproveitar e ir embora. Ele vai estar do outro lado do país, então, mesmo se desconfiar que eu fugi, não vai poder fazer nada em relação a isso… pelo menos, não na hora.

– Tá bom…

– A Fiona disse que pode me buscar se eu conseguir chegar até Albany – afirma ela. – Ela não pode passar o dia inteiro fora da fazenda. Por isso, preciso de uma carona até Albany. Até alugaria um carro, mas aí teria que mostrar minha identidade e…

– Eu levo você – interrompo. – Alugo o carro no meu nome. Levo você até Albany… sem problemas.

– Obrigada, Millie. – Ela segura minhas mãos. – Prometo te pagar em dinheiro vivo. Você não sabe o quanto te agradeço por isso.

– Não precisa se preocupar com o dinheiro – respondo, embora me preocupe muito com dinheiro de forma geral. – Você precisa mais dele do que eu.

Wendy me envolve num abraço, e só então sinto quão frágil seu corpo realmente é. Se eu apertasse com um pouquinho mais de força, poderia esmagá-la.

Quando ela se afasta, está com os olhos molhados.

– Você precisa saber que se me ajudar vai se colocar em perigo.

– Eu sei disso.

– Não sabe, *não.* – Ela passa a língua pelos lábios levemente rachados. – O Douglas é um homem muito perigoso, e estou avisando: ele vai fazer o que for preciso para me encontrar e me trazer de volta. *O que for preciso.*

– Não estou com medo – digo a ela.

Mas, no fundo da mente, uma voz me diz que talvez eu *devesse* estar. Que seria um erro grave subestimar Douglas Garrick.

VINTE E SEIS

Alugo um carro no dia seguinte.

Embora eu tenha dito que não precisava, Wendy me deu o valor da locação em dinheiro, mas vou usar meu cartão de crédito para alugar o carro. Não quero que essa locação tenha nenhum vínculo com ela.

É claro que existe uma chance razoável de Douglas Garrick desconfiar que tenho algo a ver com o sumiço de sua esposa. Mas eu nunca, jamais vou entregá-la. Mesmo se ele me torturar, o que sinceramente não acho que seria incapaz de fazer. Um homem que faz aquilo com o rosto da esposa é capaz de qualquer coisa.

– Olá, bem-vinda à Locadora Bom Passeio – entoa uma garota diante do balcão, e ela própria parece não ter idade suficiente para alugar um veículo. – Posso ajudar?

– Reservei um Ford Focus cinza – respondo. – Fiz a reserva pela internet.

A garota digita meus dados no computador enquanto tamborilo sobre o balcão. Ali, em pé diante do guichê, não tenho como evitar notar uma sensação de formigamento na nuca. Como se alguém estivesse me observando. Outra vez.

Eu me viro para trás. Como a fachada da locadora é envidraçada de alto a baixo, seria fácil alguém estar olhando aqui dentro. Quase espero ver um homem com o rosto encostado no vidro, me encarando. Mas não tem ninguém ali.

Um arrepio involuntário percorre meu corpo. De acordo com a Sra. Randall, Xavier Marin está preso. Sem direito a fiança, segundo ela me contou; e a própria Sra. Randall o despejou do apartamento. Então por que continuo com a sensação de que alguém está me vigiando? E não é a primeira vez que isso acontece. Eu me senti assim pelo menos meia dúzia de vezes desde que Xavier foi para a cadeia.

A verdade é que não sei quem tem me observado esse tempo todo. E se for mesmo Douglas Garrick que vem me seguindo pela cidade? Não faz muito sentido, porque tenho essa sensação de ter olhos pousados em mim desde antes de começar a trabalhar para ele. Mas não posso descartar a possibilidade. Foi ele quem eu vi quando estava sentada naquele restaurante na calçada.

E se Douglas souber exatamente o que estamos planejando fazer? E se ele estiver por aí, *observando*?

– Estou com seu carro aqui – informa a garota. – É o Hyundai vermelho.

– Não – retruco, impaciente. – Eu reservei um Ford Focus cinza.

Permanecer no anonimato e não atrair atenção é fundamental. Aprendi isso com Enzo.

– Nem sei o que dizer pra senhora. Aqui está escrito Hyundai vermelho. No momento, não temos nenhum Ford Focus cinza disponível.

– É inacreditável. Eu faço uma reserva, e vocês nem têm o carro que eu reservei?

A atendente dá de ombros, impotente. E não é nem a primeira vez que isso me acontece. De que adianta fazer uma reserva se eles simplesmente alugam o carro que foi reservado?

– Eu não quero um carro vermelho – protesto, tensa. – Que tal um Hyundai cinza?

Ela faz que não com a cabeça.

– Estamos com poucos sedãs. Posso alugar para a senhora um Honda CRV.

Passo um instante pensando se um SUV chamaria mais atenção do que um sedã vermelho. Acabo aceitando o Hyundai. Na verdade, tudo que eu quero é sair daqui. O objetivo dessa viagem é tirar Wendy de Manhattan, mas não acho que seria tão ruim assim sair da cidade eu mesma.

VINTE E SETE

A viagem até nosso destino vai demorar cerca de cinco horas, já levando em conta os engarrafamentos. Ou pelo menos é isso que me diz meu GPS.

Nosso plano é encontrar um hotel barato na beira da estrada quando estivermos chegando perto de Albany. Vou deixar Wendy lá para passar a noite, e Fiona vai buscá-la na manhã seguinte. Ela está levando roupa suficiente para uns quinze dias e dinheiro para vários meses.

Douglas nunca vai encontrá-la.

Estaciono meu chamativo Hyundai a um quarteirão do edifício, assim o porteiro que vive piscando para mim não vai dar com a língua nos dentes e dizer a Douglas que a esposa dele embarcou num sedã vermelho junto com a faxineira. O carro é tão ridiculamente vermelho que pareço estar dirigindo a porcaria de uma viatura do corpo de bombeiros. Mas não há nada que eu possa fazer em relação a isso agora.

Enquanto estou no carro esperando Wendy se materializar, uma mensagem de Douglas chega no meu celular:

Você vem hoje à noite?

Douglas me pediu para fazer faxina enquanto ele estiver viajando. Eu aceitei, e não me espanta ele continuar a me monitorar e confirmar meu horário mesmo que vá estar fora da cidade. Isso me deixa meio aflita ao pensar que ele vai voltar para casa e descobrir que a esposa sumiu. Mas, para tentar fingir que tudo está o mais normal possível, digito de volta:

Vou, sim.

É claro que não vou estar lá. Vou levar a esposa dele para um lugar seguro.

Apesar da minha irritação com a confusão na locadora e com o longo trajeto pela frente, tenho que sorrir para mim mesma. Wendy está finalmente largando Douglas. Era isso que eu costumava achar tão recompensador. E foi por isso que resolvi ser assistente social. O que eu quero é passar a vida ajudando as pessoas dessa forma.

No espelho retrovisor, vejo Wendy descendo a rua com duas malas. Ela prendeu os cabelos num rabo de cavalo simples, tem um par de óculos escuros escondendo os olhos e está usando um casaco de moletom com capuz e uma calça jeans confortável.

Desço do carro para ajudar a pôr sua bagagem no porta-malas. Ela está absolutamente radiante.

– Tinha me esquecido como uma calça jeans era confortável – comenta.

– Você não usa jeans?

– O Douglas detesta. – Ela torce o nariz. – É por isso que eu só trouxe calças jeans!

Dou risada enquanto jogo a bagagem dela no porta-malas. Entramos no carro, programo o GPS e partimos. Faz uns anos que não dirijo, e é bom estar ao volante outra vez. É claro que dirigir na cidade é superestressante, mas em breve estarei na estrada e a viagem vai fluir bem… pelo menos, até toparmos com o trânsito do horário de pico.

– Então Douglas não desconfiou de nada? – pergunto para Wendy.

Ela empurra os óculos de sol mais para cima do nariz arrebitado.

– Acho que não. Ele veio se despedir antes de sair, e fingi que estava dormindo na cama. – Ela baixa os olhos para o relógio. – E no momento deve estar embarcando num avião para Los Angeles.

– Ótimo.

Ela ergue os óculos escuros para me encarar.

– Você não comentou com ninguém sobre nada disso, né?

– De jeito nenhum. Com ninguém.

Ela parece aliviada.

– Mal posso esperar para sair daqui. Nem consegui dormir direito essa noite.

– Não se preocupe. Eu dirijo bem rápido. Antes de você perceber, já vamos estar no hotel.

Bem na hora em que estou dizendo isso, paro cantando pneus num sinal vermelho, evitando por um triz atropelar um pedestre que graciosamente me mostra o dedo do meio. Tá, precisamos chegar lá depressa, mas o mais importante é chegarmos lá inteiras.

Enquanto espero o sinal ficar verde, olho pelo retrovisor e não tenho como não notar um carro atrás de mim. É um sedã preto.

E está com a lanterna direita dianteira rachada.

Ou será a esquerda? Estico o pescoço para olhar para trás, porque sempre confundo direita e esquerda no espelho. Não, com toda a certeza é a lanterna dianteira *direita* que está rachada.

Estico mais um pouco o pescoço para olhar a grade dianteira, que tem um pequeno círculo no centro: o logotipo da Mazda. Sinto um peso na barriga. Um Mazda preto com a lanterna dianteira direita rachada. O mesmo carro que tenho visto várias vezes nos últimos meses.

Tento dar uma olhada na placa, mas, antes de conseguir identificar o que quer que seja, uma sinfonia de buzinas começa a soar atrás de mim. Tá, preciso andar logo antes de alguém sacar uma arma e me dar um tiro.

– Tudo bem com você? – Wendy tem a testa franzida acima dos óculos de sol. – O que houve?

Fico pensando no quanto devo lhe contar. Não há chance alguma de eu conseguir dar uma boa olhada na tal placa enquanto estiver dirigindo, mas, ao mesmo tempo, ela já está extremamente nervosa. Não quero fazê-la surtar ao contar que acho que alguém talvez esteja me seguindo.

Principalmente se esse alguém for o marido dela.

Não precisa ser Douglas. Apesar do que a Sra. Randall disse, é totalmente possível Xavier Marin ter saído da cadeia. E agora ele está me atormentando.

Só que não faz muito sentido. Estando ou não na cadeia, Xavier certamente deve ter os próprios problemas no momento. Não vai perder o tempo dele me seguindo até Manhattan, e com certeza não o trajeto todo até Albany.

No caminho até a estrada, tento ser criativa na direção. Continuo de olho no Mazda enquanto mudo de faixa, observando se ele vai fazer o mesmo. Isso nem sempre acontece, mas toda vez que olho no retrovisor, o carro está atrás de mim. E em determinado momento consigo identificar os três primeiros caracteres da placa: 58F.

Os mesmos do carro que vem me seguindo pela cidade.

– Millie! – exclama Wendy num arquejo quando quase acerto um SUV verde. – Vá mais devagar, por favor! Eu não quero sofrer um acidente.

– Desculpa – balbucio. – É que faz um tempinho que não dirijo.

Finalmente chegamos à FDR Drive, e mantenho um dos olhos no retrovisor. O Mazda preto passou o trajeto inteiro atrás de mim. E vai ser bem mais fácil para o carro continuar me seguindo quando eu estiver na rodovia. Como ainda não chegou o horário de pico, as faixas devem estar bem livres.

Mas isso significa também que posso ir o mais rápido que quiser e me esquivar dele.

Assim que entro na FDR, piso fundo no acelerador para fazer o carro disparar. *Vamos ver se esse Mazda velho consegue chegar a cento e trinta.* Mas então olho no retrovisor.

O Mazda sumiu. O carro não entrou na rodovia comigo.

Solto um suspiro, ao mesmo tempo de alívio e incompreensão. Tinha certeza de que o carro estava me seguindo. Teria apostado minha vida que sim. Mas, no fim das contas, tudo foi só uma coincidência. Ninguém está me seguindo.

Tudo vai ficar bem.

VINTE E OITO

– Vamos parar no McDonald's – sugere Wendy.

Ela está absurdamente animada com a perspectiva de comer fast food. Como os ultraprocessados respondem por cinquenta por cento da minha dieta, não fico tão animada quanto ela. Mas Douglas é muito rígido em relação ao que Wendy pode ou não comer, embora eu tenha medo de que ela esteja tão magra e em tamanha privação de alimentos gordurosos que, se comer uma única batata frita, isso talvez a mate.

Felizmente, uma placa aparece na beira da estrada com o logotipo do McDonald's em destaque. Então, pego a saída seguinte. Seria bom abastecer um pouco o tanque, de toda forma.

Entro no estacionamento da lanchonete e os olhos de Wendy começam a brilhar. Quando ela abre a porta, o cheiro de fritura invade minhas narinas. Estou prestes a saltar do carro atrás dela quando meu celular toca. Pego o telefone depressa e fico aflita quando o nome de Brock aparece na tela.

Ai, *não*... fiquei tão absorvida pelo resgate de Wendy que me esqueci de desmarcar nosso jantar. Como pude fazer isso com ele outra vez? Eu sou louca pelo Brock. Por que não paro de sabotar nosso namoro?

Às vezes fico pensando se estou fazendo isso de propósito. Para ele me dar um pé na bunda logo, antes de eu ter que lhe contar a verdade a meu respeito e de ele me dar um pé na bunda por um motivo que vai doer bem mais.

– Vai indo na frente – digo para Wendy, com a voz meio aguda. – Te encontro lá dentro.

Não vai ser uma conversa rápida. Ou talvez seja uma conversa *bem* rápida.

Assim que Wendy salta do carro, eu atendo a ligação. Como não é de espantar, a voz do Brock soa quase enfurecida.

– Cadê você? Pensei que fosse chegar aqui às sete.

– Humm – respondo. – Tive que mudar os planos.

– Tá, então você vai chegar a que horas?

Queria poder dizer que estou logo na esquina, mas a realidade é que estou a horas de distância. E não existe nenhum jeito fácil de dizer isso a ele.

– Acho que não vou conseguir hoje.

– Por que não?

Meu maior desejo seria poder lhe contar. Seria um alívio compartilhar isso com alguém, mas Wendy me fez jurar segredo, e por um bom motivo.

– Tenho coisas pra fazer. Preciso estudar.

– Você tá falando sério? – Brock passou de quase enfurecido para literalmente irado. – Millie, a gente tinha um compromisso hoje. E você não só deixa de aparecer sem avisar como agora tá inventando uma desculpa esfarrapada de que precisa estudar?

Não sei por que essa não é uma desculpa válida. Eu poderia mesmo ter que estudar hoje!

– Brock, escuta…

– Não, escuta você – grunhe ele. – Eu tenho sido paciente, mas a minha paciência tem limite. Preciso saber o que você sente por mim e para onde essa relação está indo. Porque estou pronto pra uma coisa mais séria e gostaria de saber se estou perdendo meu tempo ou não.

Brock está absolutamente pronto para se casar. Sei que isso tem a ver em parte com seu problema no coração, e talvez outra parte só tenha a ver com aquele anseio indescritível por algo mais que tantas pessoas sentem aos 30 e poucos anos. Ele não está de brincadeira. Ou preciso levá-lo a sério, ou então liberá-lo. É a coisa certa a fazer.

– Você não tá perdendo seu tempo – murmuro ao telefone. – Juro. É que as coisas estão meio malucas pra mim, mas juro que gosto de você de verdade.

– Gosta mesmo? Porque às vezes não tenho certeza.

Eu sei que ele está me testando. E sei que tenho duas escolhas. Ou digo o que ele quer escutar, ou termino o namoro.

E não quero terminar. Mesmo que não esteja sendo sincera em relação ao que vou dizer, Brock é um cara muito, muito legal. A vida que imaginei com ele é a que eu sempre quis. E não quero perdê-lo.

– Eu gosto de você, sim. – Inspiro fundo. – Eu… eu te amo.

Quase posso ouvir a raiva se esvaindo do meu namorado.

– Eu também te amo, Millie. De verdade.

– E a gente precisa mesmo conversar. – Preciso contar a ele tudo em relação a mim… e logo. Não posso mais prolongar isso. Tenho que colocar as cartas na mesa e me certificar de que, ainda assim, ele queira ficar comigo. – Assim que as coisas se acalmarem, tá bom? Semana que vem.

– Tá – responde Brock, porque tenho quase certeza de que ele iria concordar com qualquer coisa nesse momento. – E se você terminar de estudar, quem sabe a gente não janta amanhã? E depois você vem dormir aqui em casa.

Nós *sempre* dormimos na casa dele. Nem sei por que ele se deu ao trabalho de deixar uma muda de roupa e um frasco do remédio dele no meu apartamento. Mas é verdade que a casa do Brock é mais agradável e muito mais bem localizada.

– Claro.

– Eu te amo, Millie.

Ah. Pelo visto, agora vamos concluir nossas conversas desse jeito.

– Eu também te amo.

Encerro a ligação, mas continuo a não me sentir muito bem em relação à conversa. Ainda tenho namorado, mas por quanto tempo? Ele diz que me ama, mas às vezes tenho a sensação de que ele mal me conhece.

Talvez tudo fique bem. Quem sabe ele não descobre a verdade a meu respeito e continua a me amar? E ainda podemos ficar juntos, comprar a tal casa e enchê-la de crianças, juntos. Talvez a gente possa ter uma vida normal, perfeita.

Só que desconfio muito que isso nunca vá acontecer comigo. Nunca fui normal nem perfeita, e só houve um único homem na minha vida que entendeu isso.

VINTE E NOVE

Na melhor das hipóteses, a viagem teria levado de três a quatro horas. Com o trânsito, acabo passando quase cinco na estrada, mais meia hora por causa da parada no McDonald's; mas valeu a pena ver Wendy pôr para dentro um Quarterão com Queijo e uma batata frita média. Agora ainda preciso fazer a viagem de volta, mas já passa das nove e por isso as estradas devem pelo menos estar livres. Tenho certeza de que consigo fazer o trajeto em menos de três horas.

Quando chegamos perto de Albany, saio da rodovia numa parada que anuncia um hotel. Acaba que é exatamente o que estávamos procurando: um estabelecimento de aspecto barato com um letreiro piscante anunciando vagas. Como os quartos dão direto para o lado de fora, Wendy não vai ter que passar pela recepção para chegar ao dela. Entro no estacionamento ocupado com poucos carros.

– Bem – anuncio. – Aqui estamos nós.

– É…

Wendy e eu não conversamos muito durante a viagem e passamos quase o tempo todo ouvindo música. Nesse momento, seu olhar se enche de pânico.

– Millie, talvez isso seja um erro – diz ela.

– Não é. Sem dúvida você tá fazendo a coisa certa.

– Ele é mais inteligente do que eu. – Ela pressiona as mãos uma na outra. – O Douglas é um gênio e tem uma fortuna ao seu dispor. Ele vai me achar.

Vai procurar em cada hotel, e o cara da recepção provavelmente vai contar pra ele tudo sobre mim.

– Não vai, não – retruco com firmeza. – Porque sou eu quem vai reservar o quarto pra você, lembra? Ninguém vai te ver.

Wendy ainda parece à beira de um ataque de pânico, mas inspira fundo uma ou duas vezes e, por fim, assente.

– Tá bom, talvez você tenha razão.

Wendy me passa um pouco de dinheiro vivo que tira da bolsa, e salto do carro para ir até a recepção do hotel. O funcionário atrás do balcão tem 20 e poucos anos, barba espessa e um celular na mão direita, e não poderia estar menos animado por ter que trabalhar no turno da noite.

– Oi – cumprimento. – Gostaria de reservar um quarto, por favor.

Ele não levanta os olhos do celular.

– Documento com foto, por favor.

Eu estava preparada para esse pedido, motivo pelo qual não deixei Wendy fazer a reserva. Mas mesmo assim me sinto segura ao estender minha própria carteira de motorista. O documento não vai ser registrado no sistema, provavelmente só no disco rígido daquele computador. Não que Douglas necessariamente fosse procurar por mim, mas nunca se sabe. Se ele for tão inteligente quanto Wendy afirma, talvez acabe somando dois mais dois.

E, se for assim, talvez eu esteja correndo sério perigo.

Felizmente, o homem aceita o dinheiro sem discussão e não pede meu cartão de crédito. Eu teria sido obrigada a mostrar o cartão se ele tivesse pedido, mas pelo visto vamos conseguir fazer isso sem deixar um rastro digital.

– Quarto 207. – O homem tira uma chave de um painel atrás de si. Que hotel mais das antigas esse. – Fica nos fundos.

– Ótimo – respondo.

Ele pisca para mim.

– Eu sabia que era isso que a senhora queria.

Dou um grunhido interno. Sabia que não havia a menor chance de aquele cara não se lembrar de mim – uma mulher sozinha pedindo um quarto tarde da noite –, mas tomara que ele não dê muita importância a isso. Talvez pense que estou recebendo clientes no hotel. É esse o objetivo.

Volto para o carro com a chave do quarto. Wendy salta do banco do carona, e noto que mudou de posição o boné que está usando de modo a cobrir parte do rosto. Imagino que em determinado momento de um futuro próximo ela provavelmente vá cortar e tingir os cabelos, decerto usando uma tesoura de cozinha e alguma tinta vagabunda comprada numa farmácia. Mas, por enquanto, o boné de beisebol vai servir.

– Obrigada mesmo por isso – diz Wendy com lágrimas nos olhos. – Você salvou minha vida, Millie.

– Era o mínimo que eu podia fazer.

Ela me encara.

– Acho que nós duas sabemos que isso não é verdade.

Eu a ajudo a tirar as malas do bagageiro, e por um instante ficamos simplesmente as duas paradas ali, no estacionamento deserto, nos encarando. Não tenho certeza se algum dia voltarei a ver Wendy. Tomara que não, porque, se voltar, isso significa que a missão fracassou.

– Obrigada – repete ela.

E, antes de eu me dar conta do que está acontecendo, ela já me deu um abraço. Mais uma vez, me impressiono com a aparente fragilidade do seu corpo. Torço para ela comer muito no McDonald's nos próximos anos.

– Boa sorte.

– Se cuida – pede ela com uma voz rouca. – *Por favor*, se cuida. O Douglas vai vir atrás de mim e não vai deixar pedra sobre pedra.

– Eu dou conta dele. Juro.

Wendy não parece acreditar de todo em mim, mas pega as malas no bagageiro do carro. Eu a observo caminhar em direção ao quarto 207, localizado bem nos fundos do hotel. Fico olhando até ela sumir de vista, então volto para o carro e dirijo de volta para casa.

TRINTA

É quase meia-noite quando chego na cidade.

Em forte contraste com o tráfego congestionado de quando partimos, as ruas estão desertas, e, mesmo quando demoro para passar num sinal verde, ninguém buzina para mim. Não há uma pessoa sequer nas ruas numa noite de quarta-feira.

A locadora Bom Passeio vai me cobrar uma diária extra se eu devolver o carro depois de virar o dia, então preciso chegar lá a tempo. Entro no estacionamento faltando cinco para a meia-noite. É melhor eles não criarem caso.

Atrás do guichê, há um rapaz com um aspecto tão alerta e entusiasmado quanto o do hotel, três horas antes. Largo as chaves do Hyundai em cima do balcão e as empurro na direção dele.

– Ainda não deu meia-noite – informo a ele. – Então foi uma diária só.

Eu me preparo para uma discussão, mas o rapaz se limita a dar de ombros e aceitar as chaves.

– Tá bom – responde ele.

Deixo escapar um bocejo. Estou dirigindo há quase oito horas seguidas, e então me dou conta do quanto estou cansada. Mal posso esperar para poder me enfiar na cama. Felizmente, não tenho aula no dia seguinte e posso dormir até mais tarde. E meu emprego de faxineira obviamente não existe mais.

Só que, no segundo em que boto o pé na rua, questiono se foi mesmo uma boa ideia devolver o carro à meia-noite. Agora preciso voltar para o sul do

Bronx, e sem carro. Embora esteja confiante de que consigo me proteger, ainda não tenho certeza se o metrô é uma boa ideia a essa hora. Talvez no fim de semana, mas, numa noite de quarta-feira, vai ser só eu e os assaltantes e estupradores.

Só que não tenho como pagar um Uber no momento. Nem emprego tenho mais.

Quando estou parada na esquina, no final do quarteirão da locadora, avaliando minhas alternativas, um par de faróis ilumina a rua. Viro a cabeça bem a tempo de ver um carro se aproximando de mim. Um sedã preto com o logotipo da Mazda na grade dianteira.

E a lanterna direita dianteira rachada.

Antes mesmo de conseguir ver direito a placa, já sei que é o mesmo carro que vem me seguindo nos últimos meses. O mesmo que estava atrás de mim hoje à tarde quando estava dando carona para Wendy. E agora ele me pegou sozinha. Numa esquina deserta. De madrugada.

O Mazda encosta no meio-fio. Mal consigo distinguir a silhueta de um homem no banco do motorista. O motor é desligado, mas ele deixa o farol aceso apontado para mim, forte o suficiente para eu ter que me virar.

E então a porta do carro se abre.

TRINTA E UM

Não vou me entregar sem briga.

Vasculho a bolsa desesperada em busca do meu spray de pimenta. Ainda sobrou um pouco depois da vez em que borrifei na cara de Xavier. Se for Douglas, não vou deixar ele tirar de mim nenhuma informação. E, se for Xavier, já o enfrentei uma vez, posso fazer de novo. Não tenho medo.

Mesmo assim, meu coração está batendo com bastante força quando o homem desce do carro.

Meus dedos fazem contato com a lata de spray. Eu a tiro da bolsa, com o dedo no borrifador.

– Não chega perto de mim! – sibilo para a sombra escura.

Lentamente, a sombra ergue as mãos no ar. Uma voz conhecida diz:

– Não atira, Millie.

Levo uma fração de segundo para reconhecer a voz. Na mesma hora, sou invadida por uma sensação de ternura, e um sorriso involuntário se abre no meu rosto. Baixo a lata de spray de pimenta e me jogo em cima do homem ainda parado com as mãos para o alto.

– Enzo! – grito enquanto o abraço. – Ai, meu Deus!

Ele me abraça de volta, e por alguns segundos não sinto nada a não ser pura alegria, aninhada no aconchego quente do meu ex-namorado. Sempre me sentia segura quando ele me enlaçava assim, e nem sequer tinha certeza de que algum dia voltaria a estar nos seus braços. E agora aqui está ele. Os ombros largos, os cabelos escuros e fartos, os olhos penetrantes. E a coisa de que mais gosto nele: o sorriso, que me dá a sensação de que ele me acha a pessoa mais incrível que já conheceu.

– Millie – sussurra ele junto aos meus cabelos. – Estou tão feliz por ter voltado.

– Quando você voltou?

Ele hesita por um breve instante.

– Tem um pouco mais de três meses.

Se houvesse um disco tocando uma linda música de reencontro, esse seria o momento em que o disco teria sido interrompido com um arranhão. Eu me afasto de Enzo, de queixo caído.

– Três *meses*?

Sua expressão constrangida me diz tudo que preciso saber, e infelizmente tudo faz um terrível e perfeito sentido. Nos últimos meses, eu tinha a sensação de que alguém estava me seguindo… me observando. Coloquei a culpa em Xavier ou em Douglas, mas nenhum dos dois teve nada a ver com a história. Foi *Enzo* desde o início. Era *Enzo* o dono do Mazda preto com a lanterna dianteira rachada. Fiquei tão animada em revê-lo que ignorei o que estava bem diante da minha cara.

– Você estava me seguindo! – Dou-lhe um tapa no braço. – Não dá pra acreditar! Por que fazer uma coisa dessas?

– Seguindo, não.

Seu maxilar se retesa… meu Deus, eu tinha esquecido o quanto ele é gostoso. Chega a ser uma distração, e não posso me deixar distrair, porque estou uma fera com ele, e com toda a razão.

– Não é bem seguindo… – insiste. – Eu sou seu guarda-costas.

– Guarda-costas? – repito, cruzando os braços. – Que desculpa mais esfarrapada. Por que você simplesmente não veio falar comigo e disse oi em vez de passar três meses me seguindo?

– Porque… – Ele baixa os olhos muito, muito escuros. – Porque achei que você estivesse brava comigo por não ter voltado quando você queria.

– Certo. Eu fiquei brava *mesmo*. Perguntei quando você ia voltar, e você nem ao menos quis me responder.

– Mas, Millie, não dava. A minha mãe… Eu era tudo o que ela tinha, e ela estava muito doente. Como eu podia abandoná-la?

– Abandonou agora – assinalo.

– Sim. – Ele franze o cenho. – Porque ela morreu.

Bom, agora me sinto uma baita de uma babaca.

– Eu sinto muito, Enzo, mesmo.

– Pois é – diz ele, depois de passar alguns segundos calado.

– Eu teria… – Engulo um pequeno nó que se formou na minha garganta. – Se você tivesse me contado, eu poderia ter ficado ao seu lado. Mas você só… me dispensou. Você sabe que foi assim.

– Eu *não podia* voltar. – Ele cerra os dentes. – Foi só isso que eu te disse. Eu nunca falei que não te amava mais. – Ele me lança um olhar. – Foi *você* quem quis terminar. Foi você quem começou a sair com esse tal de Brócolis.

– O nome dele é *Brock* – digo, revirando os olhos.

– Estou só dizendo que foi você quem quis partir pra outra. Eu não. Eu ainda… nunca deixei de te amar.

Dou uma bufada.

– Tá, tá bom. Você espera que eu acredite que não ficou com mulher nenhuma depois de mim.

– Não. Nenhuma outra mulher.

Seu olhar encontra o meu: ele está falando sério. Uma coisa que Enzo não faz é mentir. Pelo menos, não para mim. Mas, enfim, posso estar enganada. Também nunca passou pela minha cabeça que ele fosse capaz de me seguir.

– Você não devia ter me seguido desse jeito – observo num tom severo. – Fiquei com medo. Devia ter me avisado que tinha voltado.

– Pra você me mandar pastar? – Ele ergue as sobrancelhas pretas. – Enfim, como já falei, sou seu guarda-costas. Você precisa de um.

– Na verdade, não preciso, não. Sei me cuidar sozinha.

É a vez de Enzo bufar.

– É *mesmo*? Você mora naquele bairro horrível no sul do Bronx. Acha que não precisa que eu te proteja? Uma coisa te juro: teve pelo menos um dia em que você não teria conseguido ir do metrô até seu prédio se eu não estivesse atrás de você, sendo seu guarda-costas.

Todos os pelos da minha nuca se arrepiam. Será que ele está dizendo a verdade? Será que o perigo estava à espreita nas sombras bem atrás de mim, e ele o derrotou antes mesmo de eu ficar sabendo?

– Como você disse, tenho namorado – murmuro. – E, se eu precisar, ele pode me proteger, muito obrigada.

– Igual te protegeu daquele Xavier Marin?

Ouvir o nome daquele homem na boca de Enzo é como um soco na cara.

– Como assim?

Mesmo no escuro, posso ver os punhos de Enzo se fechando.

– Aquele homem… ele te atacou. Não tive como fazer nada pra impedir porque foi dentro do seu prédio. E eles simplesmente *liberaram o cara*. E aquele seu Brócolis…

– Brock – repito, sentindo o rosto queimar.

– Desculpa, *Brock*. – A fúria permeia sua voz. – Ele não faz nada. *Nada*. Ele nem liga se o homem que atacou a namorada dele continua *solto por aí*. Sem castigo! Fez o que fez e se safou! Mas eu… eu me importo. – Ele dá um soco no próprio peito. – Então me certifiquei de fazer ele ter o castigo que merece, de fazer com que ele nunca mais te incomode.

Minha cabeça começa a rodar de repente. Eu me lembro de Xavier sendo levado embora do meu prédio, algemado e aos gritos, afirmando que as drogas que a polícia tinha encontrado não eram dele. A Sra. Randall disse que todo mundo tinha ficado surpreso ao saber que ele estava traficando.

– Foi *você* quem…

Ele ergue um dos ombros.

– Eu conheço um cara.

É por causa de Enzo que Xavier está preso. Se não fosse por ele, aquele homem ainda estaria à solta pelas ruas. Enzo tem razão… Brock não fez nada.

De repente, não tenho mais certeza do que pensar.

– Vem. – Ele faz um gesto com a mão em direção ao seu Mazda. – Te dou uma carona até em casa. Você vai pensando no caminho se me odeia ou não.

Justo.

Entro no carro ao lado de Enzo, que se acomoda no banco do motorista. O carro está com o cheiro dele. Fecho os olhos, perdida no passado. Por que ele teve que ir embora? Agora está tudo tão complicado. Ele pisou muito na bola. Não posso simplesmente perdoá-lo.

Ou será que posso?

– Então – diz ele quando começamos o trajeto rumo ao norte da cidade. – Pra onde você foi de carro com tanta pressa hoje?

Puxo um fio solto na calça jeans.

– Como se você não soubesse.

– Eu não sei tudo, Millie. – Ele olha na minha direção; seu rosto está parcialmente oculto pelas sombras. – Me conta.

Então eu conto.

TRINTA E DOIS

Conto tudo a ele. Falo sobre as agressões de Douglas e a fuga de Wendy nos mínimos detalhes.

Prometi a Wendy não contar para ninguém, mas Enzo não é qualquer pessoa. Ele entende. Ele e eu trabalhamos lado a lado para ajudar mulheres como Wendy. Se existe algum ser humano em todo o mundo em quem posso confiar para contar essa história, é ele.

Estamos quase na porta do meu prédio quando chego ao fim da história. Enzo não disse muita coisa. Se bem que isso é típico dele. Nunca conheci um ouvinte tão intenso. Muitas vezes, aprecio o fato de ele fazer com que eu me sinta tão ouvida. Mas, ao mesmo tempo, fico louca quando não consigo entender o que ele está pensando.

– Então é isso – concluo, após descrever como deixei Wendy no hotel e voltei de carro para a cidade. – Ela tá segura agora.

Enzo segue calado.

– Pode ser – comenta ele por fim.

– Pode ser, não. *Ela está.*

– Esse homem, Douglas Garrick – diz ele. – É um sujeito poderoso e perigoso. Não acho que vá ser tão fácil assim.

– Você só tá dizendo isso porque fiz sem a sua ajuda. Não acredita que eu seja capaz de fazer uma coisa dessas sem você.

Ele encosta na rua em frente ao meu prédio. Ela está inteiramente silenciosa e escura, com exceção de um homem solitário na esquina fumando algo que provavelmente não é um cigarro. Quando olho para essa rua, posso ver por que Enzo se sentiu compelido a me proteger, embora eu continue sem achar que precise.

Ele se vira para me encarar nos olhos.

– Eu acredito que você é capaz de qualquer coisa – diz Enzo, baixinho. – Mas, Millie, só estou dizendo... cuidado.

– A Wendy é muito cuidadosa.

– Não. – Ele crava os olhos escuros nos meus. – É pra *você* tomar cuidado. Ela foi embora, mas você continua aqui.

Entendo o que ele está dizendo. Se Douglas desconfiar que participei do sumiço da esposa, pode tornar as coisas muito difíceis para mim. Mas estou preparada para ele. Já lidei com homens piores e consegui me safar.

– Vou tomar cuidado – asseguro a ele. – Não é mais responsabilidade sua se preocupar comigo. Por isso, não precisa mais me proteger.

– Quem vai te proteger, então? O Brócolis?

– Na verdade, não preciso que *nenhum* de vocês me proteja – digo, sentindo o rosto queimar. – Quando aquele desgraçado me atacou no meu prédio, eu soube me defender muito bem. Então, não se preocupe comigo. Se estiver preocupado com alguém, deveria ser com a segurança de Douglas Garrick... em relação a *mim*.

– Bom, isso também – concorda ele.

Passamos um instante nos encarando. Queria que ele não tivesse me deixado e voltado para a Itália. Se isso não tivesse acontecido, ele poderia ter me ajudado com Wendy. Poderia ter feito suas ressalvas antes, e levaríamos isso em conta. Poderia tê-la ajudado a conseguir uma identidade nova que lhe permitisse ter mais alternativas.

E eu voltaria para casa com ele hoje, não com Brócolis. Digo, *Brock*.

– É melhor eu ir andando.

– Tá bom. – Ele aquiesce devagar.

Solto o cinto de segurança, mas na verdade reluto em sair do carro.

– Você tem que parar de me seguir.

– Tá.

– Tô falando sério. – Eu o fuzilo com o olhar. – Estou namorando outra pessoa agora. E você tá me *perseguindo*. É bizarro, além de desnecessário. Precisa parar com isso. Senão... senão vou ter que chamar a polícia.

– Eu já falei que tá bom. – Ele encosta a mão no peito. Está de camiseta por baixo da jaqueta, e infelizmente ainda consigo distinguir todos os seus músculos. – Te dou minha palavra. Acabou essa de te vigiar.

– Ótimo.

Não vou ter mais aquela sensação sinistra de que tem alguém me observando. Solucionei de uma vez por todas o mistério do Mazda preto com a lanterna rachada, e esse carro nunca mais vai me incomodar. Eu deveria estar aliviada, mas não. Pelo contrário, me sinto ainda mais incomodada. Eu tinha um anjo da guarda e nem sabia.

– Então tá… – Abro a porta do carona. – Acho que é isso… Tchau.

Faço menção de sair do carro, mas nessa hora a mão de Enzo se fecha ao redor do meu antebraço. Eu me viro para olhar para ele, e suas sobrancelhas escuras estão franzidas e unidas.

– Meu celular continua o mesmo – diz ele. – Se precisar de mim, liga. Eu vou até você.

Tento forçar um sorriso que não chega de todo a se materializar.

– Não vou precisar de você. Você deveria… sei lá, arrumar outra namorada. Tô falando sério.

Ele solta meu braço, mas seus lábios continuam contraídos.

– Liga. Vou ficar esperando.

É enlouquecedor o quanto ele parece ter certeza de que vou ligar. Se tem uma coisa que ele deveria saber a meu respeito é que sou capaz de me cuidar sozinha. Às vezes, um pouco bem *demais*.

Porém, quando estou subindo a escada até o terceiro andar do meu prédio, uma sensação terrível começa a brotar no fundo do meu estômago. E se Enzo tiver razão? E se eu estiver subestimando Douglas Garrick? Afinal, com base em tudo que vi, ele é de fato um homem horroroso. E ainda por cima é incrivelmente rico.

Não pode ser tão fácil para Wendy escapar dele, pode? Quando Enzo e eu ajudávamos mulheres a fugirem dos parceiros abusivos, planejávamos tudo de maneira bem meticulosa, e mesmo assim às vezes éramos descobertos. Tenho a sensação de que Douglas é mais inteligente do que muitos dos outros homens com quem lidamos. Mesmo sabendo que não era ele me seguindo no tal carro, ele talvez tenha outras formas de acompanhar os passos da esposa.

E se ele soubesse exatamente o que estávamos planejando hoje à noite?

Esse pensamento me atinge como uma tonelada de tijolos bem na hora em que chego ao terceiro andar. Assim como a rua, ele está totalmente silencioso. E, mesmo Enzo ainda estando lá fora – ainda que eu o tenha feito prometer não ficar –, ele não pode me ajudar aqui dentro.

Encaro a porta fechada do meu apartamento. Do lado de dentro tem um trinco, mas não posso passá-lo quando saio e fico o dia fora. A fechadura da porta é quase ridícula de tão fácil de arrombar. Até eu provavelmente conseguiria. Só que nunca me incomodei com isso porque não tenho nada que valha a pena roubar.

Se alguém quisesse entrar na minha casa, seria muito fácil.

A chave da minha porta está na minha mão direita, mas hesito antes de enfiá-la na fechadura. E se Douglas estiver de fato um passo à minha frente? E se ele estiver à espera dentro do meu apartamento, pronto para me convencer a revelar o paradeiro de Wendy usando quaisquer meios que forem necessários?

Onde quer que Enzo esteja, não deve ser muito longe. Tenho o número dele salvo no meu celular; nunca cheguei a apagá-lo. Poderia ligar e pedir para ele entrar no apartamento comigo, só para garantir.

É claro que, depois do discurso que fiz sobre não precisar dele, isso significaria engolir meu orgulho. Mas já fiz isso bastante na vida. O que é uma vezinha a mais?

Seguro as chaves com força na mão fechada. Preciso tomar uma decisão.

Afasto minhas dúvidas insistentes e enfio a chave na fechadura. Sinto o coração martelar dentro do peito ao girá-la, mas empurro a porta e abro.

Por um segundo, quase penso que algo vai pular em cima de mim. Amaldiçoo a mim mesma por não estar com meu spray de pimenta a postos. Porém, quando entro em casa, está tudo em silêncio. Não há ninguém à minha espera. Ninguém pula em cima de mim. Não tem absolutamente ninguém aqui dentro.

– Olá? – chamo, como se o intruso estivesse sentado, esperando ser adequadamente cumprimentado.

Ninguém responde. Estou sozinha no apartamento. Talvez Douglas consiga ligar os pontos, mas isso ainda não aconteceu.

Então fecho a porta e passo o trinco.

TRINTA E TRÊS

– Sabia que abriu uma vaga de recepcionista de meio período no meu escritório? – pergunta Brock enquanto enfia na boca uma garfada de *pad thai*. – Interessa?

Estamos os dois jantando no apartamento dele, na sua minúscula sala de jantar. Os Garricks têm uma sala de jantar de verdade, mas a maioria dos apartamentos nova-iorquinos tem apenas uma área mínima anexa à sala de estar, mobiliada com uma mesa que pode ser estendida manualmente para acomodar mais de quatro pessoas. E o apartamento de Brock é considerado *grande* pelos padrões de Manhattan. Num apartamento *pequeno,* não haveria área de jantar nenhuma, e cozinha, sala, quarto e banheiro ficariam todos no mesmo cômodo, como onde eu moro.

Ele teria como bancar coisa melhor se quisesse. Os pais dele são ricos – não podres de ricos como Douglas Garrick, mas com certeza de classe alta –, porém, por mais que tentem lhe oferecer, ele não quer pegar nada do dinheiro deles. *Meus pais me ensinaram a pescar*, Brock gosta de dizer. Ele sente que já basta eles terem pagado seu curso básico universitário numa faculdade da Ivy League e seus estudos de direito, e acha que agora cabe a ele ganhar a própria vida, ou seja, pescar.

Respeito isso nele. Brock é mesmo um cara superbacana. Honesto, compreensivo e me ama de verdade. Nem me pressionou para marcar outra data específica para ter A Conversa, embora agora eu tenha a sensação de que poderia apenas adiá-la indefinidamente, mesmo sabendo que não deveria.

Misturo um pouco mais do meu curry com o arroz. Adoro a comida desse restaurante porque os curries são sempre superapimentados.

– Trabalho de secretária, é?

Brock assente.

– Você tá procurando, não?

Faz três dias que fui deixar Wendy em Albany. Disse a Brock alguma coisa sobre eles não precisarem mais dos meus serviços, e ele não teve motivo para desconfiar que nada mais estivesse acontecendo. Douglas Garrick deve voltar da viagem a trabalho amanhã, e quando penso nisso uma náusea me invade. Mas continuo acreditando que vai dar tudo certo.

Seja como for, preciso encontrar um jeito de sair do trabalho de faxineira. Talvez na semana que vem eu envie uma mensagem para Douglas dizendo que minha agenda lotou e que não posso mais trabalhar para ele. Isso vai me deixar desesperadamente desempregada, e a perspectiva de ter um trabalho com expediente regular e *ai, meu Deus, direitos trabalhistas* é incrível.

– Parece ótimo – respondo. – Mas será que um emprego de recepcionista daria certo com meus horários de aula?

– Como eu disse, é meio período – observa ele. – Na verdade, eles estão torcendo para achar alguém que tope trabalhar nos fins de semana, então seria perfeito pra você.

Seria mesmo. Absolutamente perfeito. E Brock me disse que todo mundo no escritório dele ganha bem. Aí eu não precisaria mais suportar ficar trabalhando para todos esses casais neuróticos de Manhattan.

É claro que, se o escritório de Brock for considerar a minha contratação, eles vão fazer uma verificação de antecedentes. E, quando descobrirem sobre o meu passado, ele também vai descobrir. Posso imaginar direitinho alguém do escritório gozando da cara dele por isso. *Aí, Brock, fiquei sabendo que a sua namorada tem ficha suja.*

Posso quase imaginar a reação dele. O sorriso de Brock, em geral tão fácil, desaparecendo de seu rosto. *Como é que é? Do que você tá falando?* E depois a conversa quando ele chegasse em casa do trabalho… ai, meu Deus…

Isso está ficando uma loucura. Já escondi tudo dele por tempo suficiente. E se falei para Enzo que esse cara é O Cara, isso significa que para mim nosso namoro é sério. Significa ser totalmente honesta.

– Além disso – lembra Brock –, meus pais estão vindo para um casamento no mês que vem. E eu... – Ele abre um sorriso torto. – Eu gostaria que a gente jantasse todo mundo junto.

– Com os seus pais? – pergunto e engulo em seco.

– Quero que eles conheçam você. – Ele estende a mão sobre a mesa de jantar diminuta e a coloca por cima da minha. – Quero que eles conheçam a mulher que eu amo.

Se existisse uma competição de "eu te amo", Brock estaria me dando uma surra de dez a um.

Isso está fugindo do controle. Não posso mais adiar A Conversa. Preciso contar tudo para ele. Agora.

– Brock. – Pouso meu garfo. – Preciso falar com você sobre uma coisa.

Ele ergue uma sobrancelha.

– Ah, é?

– É...

– Não parece coisa boa.

– Não, é que...

Tento engolir a saliva, mas minha garganta está seca demais. Estendo a mão para pegar o copo, mas tomei toda a minha água enquanto estava comendo meu curry apimentado.

– Deixa eu pegar um pouco mais de água.

Brock me encara enquanto pego meu copo e vou com pressa até a cozinha. Enfio o copo debaixo do filtro, desejando que a água saísse um pouco mais devagar. Enquanto encho o copo, meu celular vibra dentro do bolso. Alguém está me ligando.

O nome de Wendy aparece na minha tela. Anotei o número dela caso algo desse errado em nosso plano de fuga e ela precisasse que eu interviesse. Mas ela deixou o celular na cobertura quando foi embora. Então, por que está ligando agora?

Atendo, baixando a voz para Brock não escutar. Tenho certeza de que ele não aprovaria nada disso, e é especialmente importante não dizer nenhuma palavra a ele, já que pelo visto ele conhece Douglas Garrick e o considera um cara legal.

– Wendy – sussurro. – O que tá acontecendo?

Durante alguns segundos, há apenas silêncio do outro lado da linha. Então escuto débeis soluços.

– Eu voltei. Ele me trouxe de volta.

– Ai, meu Deus…

– Millie. – A voz dela falha. – Você pode vir aqui, por favor?

O apartamento de Brock fica a apenas quinze minutos a pé da cobertura. Eu poderia chegar lá em vinte. Mas como fazer isso? Acabei de dar início a uma conversa séria com meu namorado que provavelmente vai durar o resto da noite.

Só que ele não precisa tanto de mim quanto Wendy.

– Chego daqui a pouco – prometo a ela.

Deixo meu copo d'água na cozinha e marcho de volta até a sala de jantar. Brock mal parece ter tocado no seu *pad thai* desde que saí para a cozinha.

– Então? – pergunta ele.

– Escuta, surgiu uma emergência. Eu… eu preciso ir embora.

– *Agora?*

– Sinto muito. Amanhã à noite a gente conversa… prometo.

O lábio inferior de Brock se projeta para a frente.

– Millie…

– *Prometo*. – Eu o encaro com um olhar de súplica. – E eu… adoraria conhecer seus pais. Acho que vai ser ótimo.

Essa última afirmação parece acalmá-lo.

– Sei que você tá nervosa por conhecer meus pais – diz ele. – Mas você vai adorar minha mãe. Ela também é do Brooklyn. Estudou no Brooklyn College e tem o mesmo sotaque que o seu.

– Eu não tenho sotaque!

– Tem, sim. – Ele sorri para mim. – Bem leve. É uma graça.

– Tá, tá bom…

Ele se levanta da mesa e estende a mão para mim. Mesmo que esteja me coçando para ir correndo até a cobertura, deixo que me abrace.

– Só quero que saiba que, seja qual for a coisa terrível que precisa me contar em relação a si mesma, tudo bem – assegura ele. – Não importa o que aconteça, eu te amo.

Encaro seus olhos azuis e posso ver que ele está sendo sincero.

– Em breve a gente conversa – prometo. – E eu… eu também te amo.

A cada vez que digo, vai ficando mais fácil.

Ele me dá um beijo demorado na boca, e por um instante realmente desejo não precisar sair. Só que não tenho escolha.

TRINTA E QUATRO

As engrenagens do elevador estão rangendo mais do que de costume.

Fico pensando qual será a idade desse elevador. Li em algum lugar que os elevadores foram usados pela primeira vez em residências no final dos anos 1920. Então, mesmo que este esteja entre os primeiros elevadores da história, ele ainda tem menos de um século de idade. O que é tranquilizador... ou não?

Mesmo assim, um dia desses tenho certeza de que todas essas velhas engrenagens vão simplesmente enferrujar no meio de um giro, e vou ficar presa dentro desse elevador pelo resto da vida.

Baixo os olhos para meu relógio de pulso. Vai fazer vinte minutos que Wendy me ligou. Tentei ligar de volta para avisar que estava a caminho, mas ela não atendeu. Tenho medo do que vou encontrar quando subir até o vigésimo andar.

Meu Deus, é o elevador mais lento do mundo.

Finalmente o elevador para com um rangido e as portas se abrem. O sol já desapareceu no horizonte, e o apartamento está às escuras. Por que ninguém acendeu as luzes? O que está acontecendo aqui?

– Olá? – chamo.

E então um pensamento terrível me ocorre.

E se Douglas estiver aqui? E se ele tiver forçado Wendy a ligar para mim e me pedir para vir até aqui de modo a me punir por tê-la ajudado? Parece bem o tipo de coisa da qual ele seria capaz.

Tateio o interior da bolsa à procura do meu spray de pimenta. Eu o localizo ao lado do meu pó compacto e o tiro da bolsa, segurando-o com força na mão direita.

– Wendy? – pergunto com a voz aguda.

Levo a mão esquerda ao bolso da calça jeans onde guardei o celular. Não quero chamar a polícia, mas ao mesmo tempo tenho uma sensação horrível em relação ao que vou encontrar na cobertura.

Entro na sala. Meus passos batendo no piso soam altos como tiros dentro do apartamento silencioso e vazio. Meu coração para quando vejo a mancha vermelha no carpete. E, em seguida, o corpo estirado sobre o sofá de canto.

– Wendy! – exclamo.

É bem pior do que eu imaginava. Douglas não está à procura da esposa ou querendo se vingar. Ele já a encontrou, e agora ela jaz morta no sofá. Corro até ela, esperando encontrar uma ferida aberta a faca no peito e o vermelho manchando a frente do vestido azul-escuro. Só que não vejo nada disso.

E então ela abre os olhos.

– Wendy!

Sinto que estou prestes a cair dura por conta de um ataque cardíaco. Queria ter trazido comigo um dos comprimidos de Brock, porque meu coração começou a bater num ritmo doido e irregular.

– Meu Deus! – exclamo. – Achei que você estivesse…

– Morta?

Ela se senta no sofá, e é então que me dou conta de que o vermelho no chão é vinho tinto derramado de uma taça virada na mesa de centro; Douglas vai enlouquecer se eu não limpar isso. Ela dá uma risada amarga.

– Ah, quem me dera – diz ela.

De tão concentrada que estava examinando o corpo dela em busca de ferimentos ou sangue, eu não tinha reparado no hematoma recente que marca sua bochecha esquerda, no mesmo lugar em que o último já tinha quase sumido. A visão me provoca uma careta; mas consigo imaginar o que terá causado uma coisa assim.

– O seu rosto – falo, dando um suspiro.

– Não é o pior. – Wendy se senta no sofá, então se retrai e leva a mão à caixa torácica. – Ele com certeza quebrou minhas costelas.

– Você precisa ir para o hospital!

– Sem chance. – Ela me lança um olhar. – Mas uma bolsa de gelo cairia bem.

Vou correndo até a cozinha e encontro uma bolsa de gelo dentro do congelador. Eu a enrolo num pano de prato e a levo até Wendy. Ela pega o gelo, agradecida, passa alguns segundos pensando no melhor lugar para colocá-lo, então finalmente o encosta no próprio peito.

– Ele estava me esperando – conta ela com uma voz que mal passa de um sussurro. – Quando cheguei na fazenda da Fiona em Potsdam, ele já estava lá. Ele *sabia*.

Balanço a cabeça. Não entendo como isso aconteceu. Eu já esperava que ele fosse acabar encontrando Wendy, mas tão rápido assim?

– Não sei como ele me encontrou tão depressa. – Ela fecha os olhos como que para tentar afastar uma dor de cabeça. – Achei que houvesse uma chance de ele acabar me encontrando, mas não tão rápido. Pensei que eu tivesse mais tempo…

– Eu sei…

– Millie. – Ela muda de posição, fazendo a bolsa de gelo escorregar do lugar por um instante. – Você contou pra alguém pra onde a gente estava indo?

– De jeito nenhum!

Bom, não é totalmente verdade. Contei para uma pessoa, sim. Para Enzo.

Mas ter contado para Enzo e para ninguém é a mesma coisa. Enzo jamais diria uma palavra sobre algo assim. Inclusive, ele poderia até tentar protegê-la.

– Fui burra por pensar que algum dia fosse conseguir fugir dele. – Ela ajeita a bolsa de gelo. – A minha vida é isso. É mais fácil se eu só… aceitar.

– Você não deveria aceitar. – Estendo a mão e aperto a dela. – Wendy, eu vou te ajudar. Você não precisa passar o resto da vida aguentando o que ele faz.

– Eu sei que a sua intenção é boa…

– Não – respondo, e meu maxilar se retesa. – Escuta o que eu tô dizendo. Vou te ajudar. Juro.

Wendy não diz nada. Ela não acredita mais em mim. Mas vou dar um jeito de consertar as coisas.

Não vou deixar Douglas Garrick se safar depois de machucá-la desse jeito.

TRINTA E CINCO

Continuo trabalhando para a família Garrick.

Não pude revelar para Brock o verdadeiro motivo para continuar com eles e recusar a entrevista no seu escritório, só disse que eles concluíram no fim das contas que precisavam de mim. Ele não fez mais nenhuma pergunta, mas isso aconteceu principalmente porque eu o venho evitando.

Na próxima vez que o vir, vou ter que abrir o jogo sobre o meu passado. Está na hora. O que não quer dizer que eu não esteja apreensiva em relação a isso, de modo que tenho estado convenientemente "ocupada" nos últimos dias. Mesmo tendo lhe prometido explicar tudo "em breve", o momento certo mesmo nunca aparece. Talvez nunca vá aparecer.

Mas preciso contar. Pelo amor de Deus, ele precisa saber a verdade antes de me apresentar para os pais.

Na noite de hoje, estou preparando o jantar dos Garricks. Coloquei filés de frango para assar no forno, e no fogão estou cozinhando batatas, que depois vou passar no processador para fazer um purê perfeitamente liso, do jeito que Douglas gosta. Teria me sentido tentada a cuspir na comida se não soubesse que Wendy também vai comer.

Enquanto estou verificando o forno, Wendy espia para dentro da cozinha. Seu rosto está bem melhor, e ela não se retrai mais quando caminha, então imagino que esteja se recuperando.

– O jantar está quase pronto – aviso.

Ela se detém por alguns segundos na soleira da porta da cozinha. Por fim, diz:

– Millie, preciso conversar com você um instante. Pode vir aqui na sala?

Não deve ter problema deixar a comida por uns minutos, então na mesma hora sigo Wendy até a sala e depois na direção da escrivaninha no canto do cômodo. O rosto dela tem uma expressão esquisita, e sinto uma pontada de preocupação. Dias atrás, prometi que daria um jeito de tirá-la de sua situação, e ainda não cumpri essa promessa. Mas *vou cumprir*.

Só estou tentando pensar num jeito de fazer isso sem envolver Enzo.

– Descobri uma coisa outro dia na estante do Douglas – diz ela. – Algo que eu gostaria que você visse.

Vou atrás dela com um misto de curiosidade e apreensão enquanto ela sobe mancando a escada de uma estante no corredor. Ela tira da prateleira o que parece ser um dicionário e o coloca em outra prateleira vazia. Abre o livro, e é então que me dou conta de que o dicionário foi completamente esvaziado.

E lá dentro está um revólver.

Tapo a boca com uma das mãos.

– Ai, meu Deus. Isso é do Douglas?

Ela assente.

– Eu sabia que ele tinha uma arma em algum lugar da casa, mas nunca tinha descoberto onde a guardava.

– Nem trancar ele tranca?

– Acho que ele deve querer ter a arma sempre à mão se precisar.

Wendy retira o revólver de dentro do livro oco e o segura como alguém que nunca pegou numa arma de fogo antes.

– Isso aqui seria uma saída.

– Não. *Não*. – Sufoco uma onda de pânico dentro do peito. – Confia em mim: por mais desesperada que esteja, você *não* quer fazer isso.

Não tenho muita experiência com armas, mas tenho muita com atitudes drásticas por desespero. E eu nunca, *nunca mais* vou seguir esse caminho. E Wendy tampouco deveria.

Só que ela não está escutando. Segura o revólver com as duas mãos e o aponta para o outro lado da sala. Não está com o dedo no gatilho, mas sua intenção é evidente.

– Por favor, não faz isso – imploro.

– E está carregado – diz ela. – Eu pesquisei como verificar. Tem cinco balas aqui dentro.

Não consigo parar de balançar a cabeça.

– Wendy, você não vai querer fazer isso. Eu te garanto.

Ela se vira e olha para mim, a bochecha esquerda ainda com a mancha roxa por causa do soco do marido, mesmo que já meio amarelada.

– Que alternativa eu tenho?

– Você quer passar o resto da vida na cadeia?

– Eu já estou presa.

– Escuta aqui – digo, e com a maior delicadeza possível, pego o revólver da mão dela e torno a pousá-lo na escrivaninha. – Você não quer fazer isso. Tem outro jeito.

– Eu não acredito mais em você.

Imagino Wendy apontando o revólver para a cara do Douglas. Com o modo como ela estava segurando a arma agora há pouco e o tanto que estava tremendo, ela provavelmente erraria o tiro, mesmo à queima-roupa.

– Você tem alguma ideia de como disparar esse troço?

Ela dá de ombros.

– Você aponta para o que quiser matar, daí puxa o gatilho. Não é muito complicado.

– É um pouco mais complicado do que isso.

Seus olhos se arregalam.

– *Você* já disparou uma arma, Millie?

Hesito por um tempo um tanto longo demais. Sim, tenho um pouco de experiência com armas. Enzo estava convencido de que era uma habilidade boa de se ter, então fomos ao estande de tiro algumas vezes. Fizemos um curso de segurança com armas de fogo e tiramos certificados. Mas nunca atirei a não ser no estande. Não chego a ser nenhuma especialista.

– Mais ou menos.

Ela me lança um olhar cheio de significado.

– Millie...

– Não. – Pego o revólver e torno a guardá-lo dentro do dicionário falso. Fecho o livro com um estalo. – Isso não vai acontecer.

– Mas...

O que quer que Wendy estivesse prestes a dizer é interrompido pelo barulho das portas do elevador rangendo ao se abrirem. Pego depressa o dicionário e torno a enfiá-lo na estante onde o encontrei, enquanto Wendy volta para o quarto numa velocidade espantosa. Corro para descer a escada de modo que Douglas não perceba o que estou fazendo.

Ele entra na sala, e parece um pouco surpreso ao me ver descendo a escada. Suas grossas sobrancelhas pretas se erguem.

– Achei que você fosse estar preparando o jantar, não?

– E estou – garanto a ele. – Já está no forno.

– Entendi... – Seus olhos afundados nas órbitas estudam meu rosto com cuidado suficiente para me deixar inquieta. – O que tem para jantar, então?

– Peito de frango assado, purê de batata e cenoura caramelizada – respondo, embora o cardápio do dia tenha sido meticulosamente organizado pelo próprio Douglas.

Ele passa um instante refletindo.

– Não põe nenhum purê no prato da minha mulher. Ela não digere batatas muito bem.

– Tá bom...

– E coloca só meia porção do frango pra ela – acrescenta ele. – Ela não tem passado muito bem, e duvido que vá conseguir comer muito.

Enquanto escorro as batatas que Wendy não poderá comer, finalmente entendo por que ela é tão dolorosamente magra. É Douglas quem leva comida para ela todas as noites. E ele controla cada pedaço que entra na boca da esposa.

Além de todo o resto, ele a faz passar fome de forma sistemática. É mais uma forma de controlá-la, de mantê-la fraca e de minar sua energia.

Wendy tem razão. Isso precisa acabar.

Pelo lado bom, porém, agora posso cuspir tranquilamente no purê de batata.

TRINTA E SEIS

Quando me enfio na cama, ainda estou pensando naquele revólver escondido dentro do dicionário.

A expressão no rosto de Wendy quando ela me mostrou a arma foi inconfundível. Ela está falando sério. Chegou a tal ponto de desespero que está pensando consigo mesma: *Ou ele, ou eu*. E esse é um lugar ruim para se estar. É aí que você começa a cometer erros bestas.

Vou precisar ligar para Enzo antes do esperado. Ele vai poder ajudar Wendy melhor do que eu. Só que não posso fazer isso agora. É quase meia-noite, e se ele me vir telefonando a essa hora, com certeza vai achar que estou querendo ficar com ele. Não quero que ele entenda mal as coisas.

Embora haja também uma pequena parte de mim que não parou de pensar nele desde aquela noite em que fui a Albany.

Ainda estou brava com ele por ter sumido, mas não posso negar a alegria que senti quando ele saltou daquele carro. É então que me dou conta de que nunca senti isso por Brock, e não sei se algum dia vou sentir.

Mas isso não é justo com Brock. Meu namorado tem muitas qualidades. Acima de tudo, ele é um cara confiável, que jamais me abandonaria num momento de necessidade. Disso tenho certeza.

Por outro lado, não consegui lhe contar nada do que está acontecendo com Wendy. A reação dele seria chamar a polícia na hora e não se envolver. Um pensamento típico de advogado.

Como se as suas orelhas tivessem ficado quentes do outro lado da cidade, uma mensagem de texto dele aparece no meu celular:

Te amo.

Cerro os dentes. Ai, meu Deus, quantas vezes o cara precisa dizer que me ama? Ele está esperando eu responder dizendo o mesmo, mas neste momento simplesmente não consigo me forçar a fazer isso. Esses "eu te amo" estão me mantendo refém. Então, em vez disso, faço uma selfie jogando um beijo e respondo com a foto. É meio como dizer eu te amo, não? Ele escreve de volta na mesma hora.

Linda. Queria estar aí.

Meu Deus do céu, será que literalmente tudo que ele diz precisa fazer eu me sentir de alguma forma culpada por não ter ido morar com ele?

Frustrada, jogo o celular de lado. Estou indo escovar os dentes quando o aparelho toca. Deve ser Brock, levando em conta que não respondi à sua mensagem. Ele provavelmente vai pedir para vir para cá. E vou ter que lhe dizer com todo o jeitinho que não.

Só que, quando olho a tela do meu celular, não é Brock quem está ligando. É *Douglas*.

Por que *Douglas* está me ligando à meia-noite?

Passo um minuto encarando o celular, com o coração aos pulos. Não há nenhum bom motivo para meu patrão me ligar à meia-noite. Eu me sinto tentada a deixar cair na caixa postal, mas em vez disso passo o dedo na tela para atender.

– Millie. – A voz dele soa levemente tensa. – Eu não te acordei, acordei?

– Não…

– Que bom – responde ele. – Desculpa ligar tão tarde, mas achei melhor te avisar logo. Depois dessa semana, não vamos mais precisar dos seus serviços.

– Você… tá me demitindo?

– Bom, não demitindo, exatamente – diz ele. – Estou dispensando você, para ser mais preciso. A Wendy parece estar se sentindo melhor e ela gostaria de voltar a ter um pouco de privacidade dentro da nossa casa.

– Ah…

– Não que você não tenha feito um serviço adequado.

Nossa, valeu, penso.

– É que um casal precisa de privacidade – continua ele. – Você entende o que estou dizendo?

Estou entendendo perfeitamente. Ele não quer que eu fale com Wendy nem tente ajudá-la.

– Você entende, não entende, Millie? – insiste ele.

– Claro – respondo entredentes. – Entendo sim, claro.

– Ótimo. – Seu tom fica mais leve. – E só pra agradecer por tudo que você fez pela gente, quero te dar dois convites para um jogo dos Mets. Você gostaria, não?

– Gostaria… – respondo devagar. – Eu adoro os Mets, sim…

– Ótimo! Então combinado.

– "Ahã".

– Boa noite, Millie. Durma bem.

Quando desligo o telefone, continuo com uma sensação esquisita. Alguma coisa estava me incomodando na conversa… algo que não consigo identificar por completo. Torno a me sentar na cama, e é então que baixo os olhos para a camiseta extragrande que estou usando para dormir.

É uma camiseta do Mets.

Ergo os olhos e encaro a janela na minha frente. As persianas estão abaixadas, como sempre. Corro até lá e uso os dedos para separar duas das lâminas e olhar para a rua do outro lado. Está tudo completamente escuro. Não vejo nenhum homem ameaçador parado lá fora. Ninguém está encarando minha janela com um binóculo.

Vai ver foi só coincidência. Quer dizer, eu sou de Nova York. Quem é que não gosta dos Mets?

Mas não acho que tenha sido. Havia algo no tom de voz dele ao dizer que ia me dar convites para ver os Mets. *Quero te dar dois convites para um jogo dos Mets. Você gostaria, não?*

Ai, meu Deus, e se ele estiver me vendo aqui dentro?

Mas o fato de eu usar uma camisa dos Mets para dormir não é nenhum segredo. Talvez eu tenha aberto a porta com ela em algum momento. E todos os namorados que tive sabem disso, mesmo que essa lista inclua apenas Brock e Enzo.

Mesmo assim… tenho algumas outras camisetas de dormir. Douglas sabia o que eu estava usando *hoje à noite.*

Jurei para Wendy nunca desistir dela, mas preciso admitir que estou totalmente apavorada. A persiana está abaixada. Eu nunca a abro de noite, sobretudo na hora de me trocar para dormir.

Minhas mãos estão tremendo quando pego o telefone e mando uma mensagem para Brock:

Quer vir pra cá?

Como sempre, ele responde na hora:

Chego assim que puder.

TRINTA E SETE

Assim que terminar de dobrar esta roupa limpa, vou sair e encontrar Brock para jantar.

Douglas me mandou uma mensagem de texto e combinou um horário para minha última faxina. Depois disso, vou ter que procurar outro emprego, então estou torcendo para ele me dar uma enorme gorjeta. Mas não estou muito esperançosa.

Estou feliz por essa ser minha última vez trabalhando na casa dos Garricks. Não desisti de Wendy, mas não quero mais frequentar esta casa. Douglas Garrick me dá arrepios, e quanto mais longe dele eu puder ficar, melhor. Farei tudo que puder para ajudar Wendy do lado de fora.

Hoje à noite tem outra coisa em que não consigo parar de pensar: assim que terminar o que estou fazendo, Brock e eu vamos ter A Conversa. Nas últimas vezes que estive com ele, nós dois tomamos bastante cuidado para evitar qualquer conversa séria, mas isso já passou dos limites. Vou encontrá-lo no apartamento dele e contar tudo. Um Guia Completo sobre Millie. E talvez nosso namoro termine, mas pode ser que fique tudo bem. Só existe um jeito de descobrir.

A maioria das roupas dos Garricks vai para a lavagem a seco, então só preciso guardar uma pequena pilha de camisetas, roupas de baixo e meias, a maioria das quais mal parecia estar suja quando as enfiei na máquina. Enquanto separo tudo e guardo nas gavetas certas, não consigo parar de pensar na arma escondida na estante.

Fiz Wendy jurar não tomar nenhuma atitude burra, mas, apesar de ela ter me prometido, não acredito nela cem por cento. Ela chegou ao limite. Pude ver o desespero em seu rosto machucado enquanto ela segurava aquele revólver. Da próxima vez que Douglas fizer algo errado, ela pode muito bem matá-lo.

Não que eu tenha alguma objeção ao fato de esse desgraçado sair de cena. Mas, se fizer isso, ela vai presa. Wendy nunca procurou nenhum médico nem hospital que tenha documentado a forma como ele a vem agredindo, e, embora eu possa testemunhar sobre o que sei num tribunal, isso talvez não seja suficiente.

Decidi de uma vez por todas que vou ligar para Enzo amanhã. O melhor talvez seja me afastar por completo dessa situação – especialmente já que não vou mais trabalhar aqui – e deixar ele cuidar de tudo. Afinal, é ele quem conhece todos "os caras". Fazia sentido ser uma equipe quando éramos namorados, mas a verdade é que agora é difícil estar perto dele.

Enzo vai ajudar Wendy. Eu sei que vai.

Estou quase terminando a roupa quando ouço um estrondo vindo do corredor. Já ouvi um ruído como esse antes. A diferença é que agora sei que é o barulho de Wendy sendo agredida.

Saio da suíte master para ver o que está acontecendo. Como sempre, a porta do quarto de hóspedes está fechada, mas posso ouvir a voz de Douglas vindo lá de dentro:

– Acabei de ver esse gasto no cartão de crédito! – A voz dele ressoa pelo corredor. – Que história é essa? Oitenta dólares por um almoço no La Cipolla?

Nunca o escutei falar com ela desse jeito. Ele não deve ter se dado conta de que estou no apartamento. Douglas me disse para sair mais cedo, então deve achar que já fui embora e que ele pode dizer tudo que quiser para a mulher sem eu escutar.

– Eu… me desculpa. – A voz de Wendy soa desesperada. – Encontrei minha amiga Gisele para almoçar, e como ela está sem emprego, me ofereci para pagar.

– Quem disse que você podia sair de casa?

– O quê?

– *Quem disse que você podia sair de casa, Wendy?*

– Eu… é que… Me desculpa, é que é tão difícil ficar em casa o tempo todo e…

– Alguém poderia ter te visto! – berra ele. – Poderia ter visto o seu rosto, e o que iam pensar de mim?

– Eu… eu sinto muito, é que…

– Aposto que sente muito, mesmo. Você não pensa em nada, né? Você *quer* que as pessoas me achem um monstro!

– Não. Isso não é verdade. Eu juro.

Um longo silêncio se faz dentro do quarto. Será que a briga acabou? Ou será que preciso entrar lá para interromper e chamar a polícia? Mas não, não posso chamar a polícia… Wendy me disse que isso estava fora de cogitação.

O que eu não daria para ter um amigo na polícia de Nova York…

Avanço de mansinho até chegar o mais perto que me atrevo da porta do quarto e apuro os ouvidos para escutá-los. Bem quando estou a ponto de bater na porta, Douglas recomeça a falar, e dessa vez sua voz soa mais irada ainda.

– Esse restaurante é bem romântico pra você e uma amiga, hein? – insinua ele.

– O quê? Não! Lá não é… não é nada romântico…

– Eu sempre sei quando você está mentindo, Wendy. Com quem você estava de verdade nesse almocinho chique?

– Eu já falei! Com a Gisele.

– Certo. Agora me diz a *verdade*. Foi o mesmo cara que levou você até o norte do estado?

Eu me esgueiro mais para perto do quarto. Wendy está aos soluços.

– Foi a Gisele – choraminga ela.

– Até parece – sibila ele. – Não vou permitir que a vadia da minha mulher fique pra lá e pra cá pela cidade com outro homem! Isso é uma humilhação.

É então que um barulho nauseante de algo sendo arremessado se faz ouvir dentro do quarto. E Wendy dá um grito.

Não posso deixar que ele a machuque. Preciso fazer alguma coisa. Só que, de uma hora para outra, o quarto ficou totalmente silencioso.

E então ouço um ruído gorgolejante vindo lá de dentro.

Como se uma mulher estivesse sendo esganada.

Não há mais como perder tempo. O que quer que esteja acontecendo dentro desse quarto, tenho que impedir.

Então me lembro do revólver.

TRINTA E OITO

Eu me lembro muito bem de onde o revólver está.

Corro até a estante e pego o dicionário. A arma está aninhada dentro do mesmo espaço oco de dois dias antes, quando Wendy a mostrou para mim. Justo como eu sabia que estaria. Eu a seguro com as mãos tremendo um pouco.

Enquanto encaro o revólver na minha mão, me pergunto se estou cometendo um erro grave. Apesar de estar acontecendo algo terrível dentro daquele quarto, não sei se vai ajudar meter uma arma na história. Quando existe a chance de alguém levar um tiro, as coisas podem se deteriorar bem depressa.

Mas não vou atirar em Douglas. Isso está fora de cogitação. Minha única intenção é assustá-lo. Afinal, não existe nada mais assustador do que uma arma. Estou contando com o elemento surpresa para pôr um fim nisso.

Com o revólver na mão, torno a subir apressada o corredor escuro até o quarto de hóspedes. A luta cessou e tudo lá dentro está silencioso. E, por algum motivo, isso é a coisa mais assustadora de todas.

Cogito bater, mas então decido tentar a maçaneta. Ela gira com facilidade quando a aciono. Quando empurro a porta para abri-la, uma voz fala comigo bem lá no fundo da minha cabeça:

Larga essa arma, Millie. Resolve isso sem esse troço. Você está cometendo um erro terrível.

Só que agora é tarde.

Abro a porta do quarto de hóspedes com um empurrão. A visão com que me deparo me deixa sem ar. Vejo Douglas e Wendy. Ele a imprensou na parede e está com as duas mãos em volta do pescoço dela, e o rosto de Wendy está começando a ficar azul. Ela está com a boca aberta para gritar, mas nenhum som sai lá de dentro.

Ai, meu Deus, ele está tentando matá-la.

Não sei se ele vai esganá-la ou quebrar seu pescoço com as mãos, mas preciso fazer alguma coisa agora mesmo; não posso só ficar parada aqui e deixar isso acontecer. Mas aprendi com meus erros do passado. Posso estar armada, mas não tenho a menor intenção de matá-lo. Só a ameaça deve bastar. E depois vou contar à polícia o que vi.

Você consegue, Millie. Não machuca ele. Só faz ele soltar a mulher.

– Douglas! – grito para ele. – Solta ela!

Imagino que ele vá se afastar de Wendy, cheio de desculpas falsas e explicações. Mas, por algum motivo, seus dedos não se movem. Ela consegue emitir outro ruído gorgolejante.

Então empunho a arma e miro no peito dele.

– Estou falando sério. – Minha voz treme. – Solta ela ou eu atiro.

Mas Douglas por algum motivo não está me ouvindo. Tem os olhos desvairados e parece decidido a terminar isso, aqui mesmo, neste instante. Wendy parou de tentar arranhá-lo e seu corpo ficou flácido. A hora de negociar já passou. Se eu não fizer alguma coisa nos próximos segundos, ele vai matá-la.

E terei deixado isso acontecer.

– Juro por Deus – digo com a voz esganiçada. – Se você não soltar ela, eu vou atirar!

Mas ele não solta. Simplesmente continua a apertar.

Não tenho escolha. Só existe uma coisa que eu possa fazer nessa situação. Puxo o gatilho.

TRINTA E NOVE

Douglas fica inerte segundos depois de o tiro ecoar pelo apartamento. O barulho é mais alto do que eu esperava, o suficiente para os vizinhos com certeza terem escutado. Bom, talvez não. As paredes e tetos parecem à prova de som num prédio como aquele, e há o andar de baixo para servir de anteparo.

Mas o lado bom é que os dedos dele soltam o pescoço de Wendy.

Ela desaba de joelhos no chão, tossindo, chorando e segurando o pescoço, enquanto o marido cai deitado ao seu lado com o corpo imóvel. Um segundo depois, uma poça escarlate começa a se espalhar debaixo dele pelo carpete felpudo.

Ah, não.

De novo, não.

O revólver se solta dos meus dedos e cai no chão ao meu lado com um baque alto. Estou paralisada por completo. Douglas Garrick não está se movendo nem um milímetro sequer, e a poça debaixo dele não para de aumentar. Minha intenção era atirar no ombro, o suficiente para feri-lo e forçá-lo a soltar Wendy, mas não para matá-lo.

Pelo visto, eu errei.

Wendy esfrega os olhos úmidos. Por milagre, ela ainda está consciente. Ajoelha-se ao lado do marido e leva a mão ao seu pescoço, por cima da carótida. Mantém a mão ali por alguns segundos, então ergue os olhos para mim.

– Ele está sem pulso.

Ai, meu Deus.

– Está morto – sussurra ela com uma voz rouca. – Morto mesmo.

– Minha intenção não foi matar – disparo. – Eu só... só estava tentando fazer ele largar você. Nunca foi minha intenção...

– Obrigada – diz Wendy. – Obrigada por salvar minha vida. Eu sabia que você faria isso.

Ficamos apenas nos encarando por alguns segundos. Eu salvei mesmo a vida dela. Preciso me lembrar disso. Vou ter que explicar para a polícia quando eles chegarem.

– Você precisa sair daqui. – Embora suas pernas pareçam trêmulas, Wendy se levanta. – A gente... a gente pode limpar as digitais do revólver. Deve funcionar, não? É, é, tenho certeza de que sim. Vou demorar uma ou duas horas para chamar a polícia, e aí vou dizer... Ah! Posso dizer que achei que o Douglas fosse um intruso e atirei nele por acidente. Foi tudo um acidente, sabe? Eles vão acreditar. Com certeza vão.

Wendy está falando depressa; está em pânico. Por mais que eu adorasse não levar a culpa nessa história, a versão dela tem um furo enorme.

– Mas o porteiro viu quando Douglas entrou no prédio.

Ela faz que não com a cabeça.

– Não viu, não. Alguns moradores têm acesso à entrada dos fundos, e o Douglas sempre entra por lá.

– Lá tem câmera?

– Não. Não tem câmera.

– E as câmeras dos elevadores?

– Aquelas dali? – Ela bufa. – São só decorativas. Uma quebrou faz cinco anos, e a outra está sem funcionar há pelo menos dois.

Será que isso poderia mesmo dar certo? Acabo de matar Douglas Garrick com um tiro a sangue-frio. Será que existe alguma chance de eu escapar dessa sem consequências? Pensando bem, não seria a primeira vez.

– Vá embora daqui, agora. – Ela passa por cima do corpo de Douglas, tomando cuidado para evitar a poça de sangue. – Eu assumo a responsabilidade por isso. Essa vai pra minha conta. Fui eu que meti você nisso, e não vou te arrastar comigo. Vá embora enquanto ainda é tempo.

– Wendy...

– Vá! – O olhar dela está quase tão desvairado quando o de Douglas quando tinha as mãos em volta do seu pescoço. – Por favor, Millie. É o único jeito.

– Tá bom – respondo baixinho. – Mas... se você precisar de mim...

Ela estende a mão para apertar meu braço.

– Você já fez o suficiente, pode acreditar. – Ela hesita. – É melhor apagar todas as suas mensagens de texto. As minhas e as do Douglas também. Só por garantia.

É uma ideia muito boa. Wendy e eu conversamos sobre algumas coisas das quais eu não gostaria que a polícia tomasse conhecimento se começasse a investigar esse assassinato. E talvez seja melhor eles não verem as mensagens que troquei com Douglas, nem notarem que hoje deveria ter sido meu último dia de trabalho. Pego minha bolsa, e, apesar de minhas mãos estarem quase tremendo demais para conseguir fazer isso, dou um jeito de apagar do meu aparelho as conversas com ambos os Garricks.

– Não tente entrar em contato comigo – recomenda ela. – Eu cuido disso, Millie. Não se preocupe.

Faço menção de me opor, mas então calo a boca. De nada adianta. Wendy já decidiu que quer levar a culpa, e tenho total interesse em deixá-la fazer isso. Eu me despeço da cobertura, sabendo que nunca mais vou pôr os pés neste lugar. A última coisa que vejo ao sair do quarto é Wendy parada junto ao corpo morto de Douglas.

E ela está sorrindo.

QUARENTA

Passo a viagem inteira de metrô até em casa sem conseguir parar de tremer.

Todo mundo no metrô deve me achar uma louca, porque, embora o trem esteja lotado, ninguém se acomoda nem de um lado nem do outro onde estou sentada até eu chegar no Bronx. Passo basicamente o trajeto inteiro abraçando meu próprio corpo e me balançando para a frente e para trás.

Não consigo acreditar que o matei. Não foi minha intenção.

Não, isso não é justo. Dei um tiro no peito daquele homem. Seria mentira dizer que eu não queria vê-lo morto. Mas essa é a última forma como eu desejava que as coisas se desenrolassem desde que descobri aquela arma dentro do dicionário.

Mas vai ficar tudo bem. Já passei por isso antes. Wendy vai se agarrar à própria história, e a polícia não vai ter a menor ideia de que estive envolvida.

Agora só preciso lidar com o fato de ter matado um homem. *Outra vez.*

Assim que saio da estação do metrô, meu celular vibra. Uma chamada perdida. Tiro-o da bolsa, meio esperando que seja Wendy, mas, em vez disso, a tela está repleta de chamadas perdidas e mensagens de voz de Brock.

Ai, não. A gente tinha marcado de jantar hoje. Era para ser a noite em que teríamos a conversa séria. Bom, não vai mais acontecer.

Passo alguns segundos encarando o nome de Brock no meu aparelho, sabendo que preciso ligar para ele, mas sem querer fazer isso. Por fim, clico no nome dele. Ele atende quase na mesma hora.

– Millie? – Sua voz é um misto de raiva com preocupação. – Onde você tá?

– Eu… – começo, desejando ter parado um instante para pensar numa desculpa válida antes de ligar para ele. – Não estou me sentindo bem.

– Ah, é? – Ele soa cético. – Qual é o problema exatamente?

– Eu… eu peguei alguma infecção estomacal. – Como ele não diz nada, decido enfeitar a história com mais alguns detalhes. – Foi de uma hora pra outra. Tô me sentido péssima. Não paro de vomitar, sabe? E também… bom, está saindo pelos dois lados. Acho que preciso ficar em casa hoje.

Eu me preparo para ele desmascarar minha história fajuta, mas em vez disso seu tom de voz se suaviza.

– Sua voz não tá boa.

– Pois é…

– Eu poderia passar na sua casa – sugere ele. – Levar uma canja? Fazer uma massagem nas suas costas?

Tenho o namorado mais gentil de todos os tempos. Um cara muito legal mesmo. E, assim que isso tudo assentar, com certeza vou recompensá-lo. Eu o amo de verdade. Acho.

– Não, mas obrigada – sussurro no aparelho. – Só preciso ficar sozinha e me recuperar. Pode ser outro dia?

– Claro – responde ele. – Fica boa, só isso.

Ao desligar, me sinto culpada pela forma como estou tratando Brock, além de todo o resto. Mas não quero arrastá-lo para o meio dessa confusão. A única pessoa com quem poderia conversar sobre isso é Enzo, e essa é uma ideia ruim por vários motivos. Só preciso ir para casa e tentar não pensar em nada do que aconteceu. Muito em breve, tudo isso vai ter ficado para trás.

QUARENTA E UM

Acordo com a sensação de ter sido atropelada por um caminhão, e minha têmpora direita lateja.

Não consegui dormir na noite passada. Fiquei me revirando na cama, e toda vez que começava a pegar no sono, via o corpo morto de Douglas caído no chão da cobertura. Por fim, fui cambaleando até o banheiro e tomei um dos comprimidos para dormir que costumo guardar lá. Então mergulhei num sono repleto de sonhos, assombrada pelos olhos mortos do meu ex-patrão me encarando.

Rolo na cama e levo a mão ao ninho de rato que é meu cabelo. O latejar na minha testa fica mais forte, e demoro alguns segundos para perceber que são também batidas vindas da porta.

Tem alguém na porta do meu apartamento.

Dou um jeito de me arrastar para fora da cama e me enrolo num casaco de ficar em casa.

– Já vai! – grito, torcendo para as batidas cessarem. Mas quem quer que esteja na minha porta é uma pessoa persistente.

Espio pelo olho mágico. Tem um homem parado lá fora, vestido com uma camisa branca engomada e uma gravata preta por baixo de um casaco.

– Quem é? – pergunto.

– Sou o investigador Ramirez, do Departamento de Polícia de Nova York – responde o homem, a voz abafada.

Ai, não.

Mas tudo bem, não há motivo para entrar em pânico. Meu patrão morreu, então é óbvio que eles vão querer me fazer algumas perguntas. Não há nada com que me preocupar.

Destranco a porta e abro uma frestinha. Ele não pode entrar sem minha autorização explícita, e não tenho a menor intenção de permitir sua entrada. Não que eu tenha qualquer coisa a esconder dentro de casa, mas nunca se sabe.

– Srta. Calloway? – pergunta ele com uma voz surpreendentemente grave.

Eu chutaria que ele tem 50 e poucos anos, com base nas olheiras debaixo dos olhos e na proporção entre preto e grisalho nos cabelos cortados bem rente.

– Bom dia – respondo, hesitante.

– Queria saber se eu poderia lhe fazer algumas perguntas – diz ele.

Dou o melhor de mim para manter o rosto inexpressivo.

– Sobre o quê?

Ele hesita enquanto examina meu rosto.

– A senhorita conhece um homem chamado Douglas Garrick?

– Conheço... – Não há mal nenhum em admitir isso. Seria bem fácil provar que eu trabalhei para os Garricks.

– Ele foi assassinado ontem à noite.

– Caramba! – Levo a mão à boca e tento fingir surpresa. – Que horror.

– Estava pensando se a senhorita poderia ir até a delegacia responder a algumas perguntas para mim.

O semblante do investigador Ramirez é como uma máscara. Seus lábios formam uma linha reta e nada revelam. Mas ir à delegacia? Isso parece coisa séria. Mas, afinal, ele não está sacando um par de algemas nem lendo meus direitos. Tenho certeza de que a polícia está só levando o caso super a sério pelo fato de Douglas ter sido tão rico e importante.

– Quando vocês querem que eu vá?

– Agora – responde ele sem hesitação. – Posso lhe dar carona.

– Eu... eu sou obrigada?

Não tenho a menor obrigação de ir com ele se não estiver presa; conheço muito bem meus direitos. Mas gostaria de ouvir o que ele tem a dizer.

– A senhorita não é obrigada, mas eu recomendo muito que faça isso – responde ele por fim. – De uma forma ou de outra, nós vamos ter uma conversa.

Uma sensação de náusea me invade. Isso está parecendo algo mais do que algumas perguntas casuais sobre o meu patrão.

– Eu gostaria de ligar para o meu advogado.

Ramirez não desgruda os olhos dos meus.

– Não acho que seja preciso, mas é um direito seu fazer isso.

Não sei que tipo de pergunta eles vão me fazer, mas não gosto da ideia de estar na delegacia sem a presença de um advogado, não importa o que esse policial diga. Infelizmente, só existe um advogado que eu conheça bem o suficiente para contactar agora. E vai ser uma conversa difícil.

Ramirez fica esperando enquanto pego o celular e busco o número de Brock. Ele já deve estar no trabalho a essa hora, mas atende depois de apenas uns poucos toques. Brock passa a maior parte do dia em frente à sua mesa e raramente vai ao fórum.

– Oi, Millie – diz ele. – Você tá bem?

– Ahn – falo. – Não exatamente…

– A infecção piorou?

– O quê?

Brock passa um instante sem dizer nada do outro lado da linha.

– Você me disse ontem à noite que tinha pegado uma infecção estomacal.

Ah, é. Quase me esqueci da mentira que havia inventado para não ir à casa dele ontem à noite.

– É, isso está melhor, sim, mas estou precisando da sua ajuda com outra coisa. Uma coisa importante.

– Claro. Do que você precisa?

– Então, ahn… – Baixo a voz para Ramirez não poder me escutar. – Sabe o meu ex-patrão, o Douglas Garrick? Ele foi… ele foi assassinado ontem à noite.

– Meu Deus – exclama Brock com um arquejo. – Millie, que horror. Eles sabem quem foi?

– Não, mas… – Olho de relance para Ramirez, que está me observando. – Eles querem me interrogar na delegacia.

– Ah, caramba. Eles acham que você sabe alguma coisa importante?

– Imagino que sim… apesar de na verdade eu não saber. Enfim… eu me sentiria melhor se tivesse um advogado lá junto comigo. – Pigarreio. – Então, sabe, seria você.

– Claro, lógico. – Minha vontade é estender os braços pelo celular adentro e lhe dar um abraço. – Posso te encontrar lá assim que terminar de fazer umas coisas. Tenho certeza de que vai ficar tudo bem, mas fico feliz em poder te ajudar.

Enquanto anoto o endereço da delegacia onde o investigador Ramirez vai me interrogar, não consigo evitar pensar comigo mesma que Brock e eu no fim das contas vamos acabar tendo a conversa que eu pretendia ter com ele na noite passada.

QUARENTA E DOIS

Quando chego na delegacia, em Manhattan, estou completamente surtada. O investigador Ramirez tentou puxar papo durante o trajeto de carro, mas respondi em grande parte com monossílabos e grunhidos. Mesmo quando ele está falando sobre o tempo, minha sensação é de que está tentando pescar alguma informação, e não quero lhe revelar nada.

Na delegacia, Brock está à minha espera. Está usando seu terno cinza e aquela gravata que deixa seus olhos muito azuis. Ele sorri ao me ver entrar na delegacia com o investigador e não parece nem um pouco preocupado. O que provavelmente vai mudar muito em breve.

– Aquele ali é o meu advogado – digo a Ramirez. – Eu gostaria de falar com ele em particular antes de ser interrogada.

Ramirez dá um meneio de cabeça sucinto.

– Vamos pôr vocês numa sala para conversarem, e quando estiverem prontos, eu gostaria de lhe fazer algumas perguntas.

Ele me conduz até uma salinha quadrada com uma mesa de plástico rodeada por umas poucas cadeiras também de plástico. Faz anos que não entro numa sala de interrogatório, e a visão faz meu peito se contrair. Principalmente quando ele me faz sentar numa das cadeiras e me deixa sozinha lá dentro com a porta fechada. Achei que Brock fosse entrar comigo, mas ele parece estar ocupado lá fora.

Fico imaginando o que estarão dizendo para ele.

Passo quase quarenta minutos sozinha na sala, e meu pânico só faz aumentar. Quando o rosto conhecido de Brock aparece na porta, quase começo a chorar.

– Por que demorou tanto? – pergunto, em meio às lágrimas.

Brock está com uma expressão abalada. Parece um pouco rígido ao se acomodar na cadeira à minha frente. Há uma cratera entre suas sobrancelhas.

– Millie – começa ele. – Eu estava conversando com o investigador lá fora. Eles estão relutando em me revelar muita coisa, mas isso não vai ser um interrogatório de rotina. Você é uma suspeita importante.

Fico encarando Brock. Como pode uma coisa dessas? Wendy disse à polícia que foi ela quem atirou em Douglas. Será que estão duvidando da história dela? Deveria ser um caso simples.

A menos que…

– Eles têm um mandado para revistar seu apartamento – diz ele. *Mandado?* – Uma equipe da polícia está lá agora mesmo.

A polícia está revistando meu apartamento? Não consigo imaginar o que podem estar procurando. Não tenho nada de tão suspeito assim. Por sorte, ontem à noite não sujei minha roupa de sangue. Eu verifiquei.

– Por que eles iriam pensar que você o matou? – Brock balança a cabeça. – Pra mim não faz o menor sentido.

É isso. Preciso contar a ele sobre o meu passado. Se ele vai atuar como meu advogado, precisa saber. Caso contrário, vai passar por otário.

– Escuta – começo. – Tem uma coisa que você precisa saber a meu respeito.

Ele arqueia as sobrancelhas para mim e aguarda.

Como é difícil. Estou amaldiçoando a mim mesma por não ter dito nada antes, mas agora que comecei lembro por que adiei tanto.

– Eu meio que tenho, sabe… tenho passagem pela prisão.

– Você tem *o quê*? – O maxilar dele parece que vai cair. – Passagem pela *prisão*? Tipo, você já foi *presa*?

– É. É meio isso que passagem pela prisão significa.

– *Por quê?*

E agora vem a parte difícil.

– Foi por homicídio.

Brock parece estar a dois segundos de cair da cadeira… espero que esteja tudo bem com seu coração.

– *Homicídio?*

– Foi legítima defesa – argumento, o que não é de todo verdade. – Um homem estava atacando uma amiga minha, e fiz ele parar. Eu era adolescente na época.

Ele olha para mim.

– Ninguém vai preso por legítima defesa.

– Algumas pessoas vão.

Ele não parece estar acreditando em mim, mas não vou entrar em muitos detalhes em relação ao cara que estava tentando estuprar minha amiga. Em relação a fazer o que tinha que ser feito para detê-lo, mesmo que a promotoria tenha tentado fazer parecer que fui longe demais.

– Não é de espantar que você nunca tenha se formado na faculdade – murmura ele para si mesmo. – Sempre pensei que você só fosse daquelas pessoas que desabrocham mais tarde.

– Desculpa. – Baixo os olhos. – Eu deveria ter te contado.

– Puxa, você acha mesmo?

– Desculpa – repito. – Mas fiquei com medo de que, se eu contasse, você me olhasse como… bom, do jeito que está olhando agora.

Brock passa a mão pelos cabelos.

– Meu Deus, Millie. É só que eu… eu sabia que tinha alguma coisa que você não queria me contar, mas jamais imaginei que…

– Pois é – sussurro.

– Então tá. – Ele afrouxa um pouco a gravata azul. – Tá, você já tem passagem. Deixando isso de lado por um instante, por que a polícia acha que você matou Douglas Garrick?

Não posso responder a essa pergunta porque não sei o que Wendy falou para a polícia. Embora em teoria tudo o que eu disser a Brock seja confidencial, não consigo me forçar a contar para ele o que aconteceu na noite passada.

– Não faço ideia.

Ele inclina a cabeça, pensativo.

– Ontem à noite você me disse que estava passando mal. Foi embora do apartamento deles mais cedo?

– Bom, eu terminei meu serviço – digo com cautela, ciente de que o porteiro poderá confirmar o horário em que saí do apartamento. – Mas como não estava me sentindo bem fui direto para casa depois. Já estava quase em casa quando a gente se falou no telefone. O Douglas… ele não tinha nem chegado quando eu saí.

– Tá bom. – Brock esfrega o queixo. – Eles estão só dificultando as coisas pra você por causa do seu histórico. A gente vai resolver isso.

Quisera eu ter a mesma segurança.

QUARENTA E TRÊS

Acaba que Ramirez não consegue falar comigo logo de cara, o que desconfio ser alguma espécie de tática para me desesperar. Como Brock precisa atender a uma chamada de trabalho, ele me deixa sozinha na sala de interrogatório, onde passo a hora seguinte num pânico silencioso.

Já faz duas horas que cheguei na delegacia quando Ramirez finalmente entra para falar comigo, com Brock atrás dele. Meu namorado se senta ao meu lado e aperta rapidamente minha mão debaixo da mesa. É reconfortante saber que ele não me odeia por completo, apesar de ter acabado de descobrir sobre minha passagem pela prisão. Mas ainda é cedo.

– Obrigado pela sua paciência, Srta. Calloway – diz o investigador. – Tenho algumas perguntas a lhe fazer sobre o Sr. Garrick.

– Tá bom – respondo. Como estamos sendo gravados, mantenho o tom de voz calmo e ponderado.

– Onde a senhorita estava ontem à noite? – pergunta Ramirez.

– Fui à cobertura dos Garricks fazer uma faxina leve e lavar roupa, depois fui pra casa.

– A que horas saiu da cobertura?

– Por volta das seis e meia – respondo.

– E falou com o Sr. Garrick enquanto ele estava em casa?

Faço que não com a cabeça, lembrando o que Wendy me disse. Nós duas só precisamos combinar nossas versões, e tudo deve ficar bem.

– Não.

Ramirez parece espantado com a minha resposta.

– Quer dizer que o Sr. Garrick não lhe pediu para encontrá-lo no apartamento ontem à noite?

Pisco os olhos para ele, sem entender.

– Não...

– Srta. Calloway. – Os olhos do investigador parecem escurecer enquanto me encara. – Qual é o seu relacionamento com o Sr. Garrick?

– Meu relacionamento com ele? – Olho para Brock, que está com o cenho franzido. – Ele é meu patrão. Bom, ele e a esposa, Wendy.

– A senhorita tem um relacionamento sexual com ele?

Quase engasgo.

– Não!

– Não aconteceu nenhuma vez?

Minha vontade é estender a mão e sacudir o investigador, mas felizmente Brock intervém.

– A Srta. Calloway já respondeu à sua pergunta. Ela não está tendo nenhum relacionamento de qualquer natureza com o Sr. Garrick, exceto o puramente profissional.

O investigador pega a pasta que havia colocado ao seu lado em cima da mesa. Apanha algumas folhas de papel grampeadas e as desliza pela mesa na minha direção.

– Encontramos um celular descartável na gaveta da cômoda do Sr. Garrick. Estas foram as mensagens trocadas entre esse aparelho e o seu telefone.

Pego os papéis e começo a passar os olhos por eles enquanto Brock espia por cima do meu ombro. Reconheço as mensagens de texto. São as mesmas que Douglas vem me mandando nos últimos meses para confirmar meus dias de trabalho. Só que fora de contexto elas parecem adquirir outro significado.

Você vem hoje à noite?

Vejo você hoje mais tarde.

Venha hoje.

Além do mais, todas as minhas mensagens sobre compras e lavagem de roupas sumiram. Todas as mensagens, sem exceção, parecem ter a ver com o planejamento de encontros. Os olhos de Brock quase saltam das órbitas quando lê as mensagens.

– Sim, são as nossas mensagens – confirmo. – Mas elas só têm a ver com trabalho.

– O Sr. Garrick estava lhe mandando mensagens de trabalho de um celular descartável?

Cerro os dentes.

– Eu não sabia que o celular era descartável. Só achei que fosse o telefone normal dele.

– Entendi – diz Ramirez.

– Além do mais, tinha outras mensagens. A maioria sobre compras ou roupas pra lavar. Elas não estão aí… parece que foram apagadas.

– A senhorita tem essas mensagens no próprio aparelho?

– Não… – Porque Wendy me disse para apagá-las. – Eu me livrei de todas as mensagens.

– Por quê?

– Por que não? – Deixo escapar uma risada que soa aguda demais. – Quer dizer, o *senhor* por acaso salva toda mensagem de texto que recebe?

Provavelmente deve salvar. Ele deve ter mensagens no celular de dez anos atrás. Embora, a bem da verdade, eu nunca teria deletado essas mensagens se Wendy não tivesse me dito para fazer isso.

– E também havia ligações feitas para a senhorita em horários que iam até a meia-noite – diz ele. – Está dizendo que o seu *patrão* estava lhe telefonando à *meia-noite*?

– Só aconteceu uma vez. – É tudo que consigo dizer.

Reconheço o quanto tudo parece frágil. Não faz o menor sentido: por que Douglas estava me mandando mensagens de um celular *descartável*? Não é possível que estivesse armando para cima de mim de modo a me fazer ser acusada do próprio assassinato. Olho para Brock, que ficou estranhamente em silêncio no pior momento possível.

– E também… – Ramirez torna a abrir a pasta. Ai, meu Deus, tem mais coisa? Como é possível ter mais coisa? – A senhorita reconhece isso aqui?

É uma foto impressa granulada de uma pulseira. Reconheço a mesma joia que Douglas deu de presente para Wendy depois de deixá-la com aquele olho roxo.

– Sim – respondo. – É a pulseira da Wendy.

As sobrancelhas de Ramirez se erguem.

– Então por que a encontramos na sua caixa de joias, no seu apartamento?

– Ela... ela me deu.

As sobrancelhas chegam mais perto dos cabelos.

– Wendy Garrick lhe deu uma pulseira de diamantes de 10 mil dólares?

Pulseira de *10 mil dólares*? Foi isso que essa pulseira custou? Eu tinha uma coisa que valia 10 mil dólares dentro da minha caixinha de joias vagabunda?

– Ela me disse que tinha sido um presente do marido – comento.

– E a gravação? – Ele saca mais uma foto da pasta e me passa. – Isso aqui parece conhecido?

A gravação que eu tinha lido na pulseira de Wendy está agora ampliada na tela para Brock e eu podermos ler com clareza.

Para W., Minha para sempre, Com amor, D.

– Isso – confirmo. – Para W. Para Wendy.

Ramirez dá um tapinha na foto com a ponta do dedo.

– O seu nome não começa com W? Wilhelmina?

– Eu... – Minha boca fica seca de repente. Espero Brock intervir e reclamar da direção das perguntas, mas ele segue mudo, também esperando para ouvir minha resposta. – Todo mundo sempre me chama de Millie.

– Mas o seu nome é Wilhelmina.

– É...

– E também... – Ai, não, tem *mais*? Como é possível ter mais alguma coisa? Mas de novo ele está estendendo a mão para a tal pasta irritante e saca outra foto impressa. – Isso aqui foi presente do Sr. Garrick?

Pego a imagem das mãos dele. É o tal vestido que Douglas me pediu para devolver. Mas depois ele nunca me deu nenhuma nota fiscal nem me disse de onde era o vestido. Com tudo que estava acontecendo, esqueci por completo o assunto. Então o vestido simplesmente ficou dentro da sacola de presente no closet do meu quarto.

– Não – respondo com a voz fraca, embora já consiga ver o rumo que isso vai tomar. – O Sr. Garrick me pediu para devolver o vestido.

– Então por que ele passou mais de um mês dentro do seu quarto?

– Ele... ele nunca chegou a me dar a nota fiscal.

Nem sequer consigo olhar para Brock. Só Deus sabe que pensamentos estão passando pela sua cabeça. Quero garantir a ele que tudo não passa de um terrível mal-entendido, mas não posso ter essa conversa com ele enquanto o investigador estiver presente.

– Olha aqui – explico. – Eu ia devolver. Perguntei a ele sobre a nota, e ele disse que ia me dar, só que nós dois esquecemos.

– Srta. Calloway – diz Ramirez. – A senhorita sabia que esse vestido foi comprado na Oscar de la Renta por 6 mil dólares? Acha mesmo que ele simplesmente iria se esquecer de devolver?

Caram…

Arrisco um olhar rápido na direção de Brock. Seu rosto exibe uma expressão vidrada, e ele está balançando muito de leve a cabeça. Eu o trouxe aqui para ser meu advogado, mas ele está se revelando um completo inútil.

– E também – acrescenta Ramirez. Ai, não. Não é possível que haja mais alguma coisa. Eu com certeza não aceitei mais nada dos Garricks. Não tem mais nada que ele possa sacar de dentro daquela pasta. – A senhorita passou a noite num hotel de beira de estrada com Douglas Garrick na semana passada?

– Não! – exclamo.

Ele limpa a garganta com um pigarro.

– Quer dizer que a senhorita não fez check-in num hotel de beira de estrada em Albany na quarta-feira passada enquanto o Sr. Garrick estava numa reunião de trabalho lá e pagou pelo pernoite em dinheiro vivo?

Abro a boca, mas nenhum som sai.

– Quarta-feira passada? – deixa escapar Brock. – Foi o dia em que a gente ia se encontrar para jantar e você me deu um bolo! Era *lá* que você estava?

Não tenho como mentir. Eu mostrei minha carteira de motorista para o funcionário do hotel.

– Sim, eu aluguei um quarto de hotel em Albany. Mas não é o que vocês estão pensando.

Ramirez cruza os braços.

– Estou escutando.

Não sei o que dizer. Não quero revelar o segredo de Wendy. Se eles descobrirem sobre os problemas conjugais que os Garricks estavam tendo, a culpa pelo assassinato poderia ser posta nela. Apesar de não querer levar a culpa pelo que aconteceu, tampouco quero que ela leve.

– Eu só precisava de uma noite longe de tudo. – É só o que consigo dizer.

163

– Então foi passar a noite num hotel aleatório em Albany?

– Eu não estava tendo um caso com Douglas Garrick. – Olho alternadamente para Brock e Ramirez, e ambos estão com uma cara muito cética. – Eu juro. E, mesmo se estivesse, mas eu não estava... isso não significa que eu o matei, pelo amor de Deus!

– Ele terminou tudo com a senhorita ontem à noite. – Ramirez mantém os olhos cravados em mim enquanto faz essa revelação. – A senhorita ficou uma fera com ele e, de tanta raiva, lhe deu um tiro com a própria arma dele.

– Não... – Sinto a boca horrivelmente seca. – Isso não é verdade, de jeito nenhum. O senhor não faz ideia.

Ramirez meneia a cabeça para as fotografias em cima da mesa.

– A senhorita entende por que a história parece suspeita...

– Mas não é a verdade! – exclamo. – Eu não estava tendo um caso com Douglas Garrick. Isso tudo é uma maluquice completa.

Dessa vez, o investigador não diz nada. Fica apenas me encarando.

– Eu nunca sequer encostei nele – continuo. – Juro! É só perguntar para Wendy Garrick. Ela vai confirmar tudo o que estou dizendo. Perguntem pra ela!

– Srta. Calloway – diz o investigador Ramirez. – Foi Wendy Garrick quem nos contou sobre o seu caso com o marido dela.

O quê?

– Como é que é?

– Ela disse que o Sr. Garrick confessou tudo pra ela ontem e chamou a senhorita com a intenção de terminar o caso – revela ele. – Mas quando ela chegou em casa, encontrou o marido caído no chão, morto com um tiro.

Não... Ela não fez isso... Depois de tudo que eu fiz por ela...

– E além disso as suas digitais estão na arma – finaliza ele.

QUARENTA E QUATRO

A partir daí o interrogatório vai ladeira abaixo.

Tento juntar retalhos para chegar a alguma versão da verdade. Uma versão que não termine comigo dando um tiro em Douglas Garrick e o matando na própria casa. Conto que Douglas Garrick agredia Wendy e sobre minhas tentativas de ajudá-la. Digo que Wendy tinha me mostrado o revólver e dito que o estava usando para se proteger, e que foi assim que minhas digitais devem ter ido parar na arma, embora tenha dificuldade para explicar por que as digitais de *Wendy* não estão na arma também. Pela expressão do investigador Ramirez, posso ver que ele não está acreditando em nenhuma palavra que eu digo.

Ao final da minha história sem pé nem cabeça, tenho certeza de que Ramirez vai ler meus direitos e me levar para uma cela. Mas, em vez disso, ele balança a cabeça.

– Eu já volto – diz ele. – Não saiam daqui.

Ele se levanta e sai da sala; a porta bate atrás dele e produz um eco, e Brock e eu ficamos sozinhos na sala de interrogatório.

Brock está encarando a mesa de plástico com o olhar vidrado. A ideia era ele estar presente como meu advogado, mas ele não disse uma palavra sequer em vinte minutos. Se eu tivesse ideia de como isso iria se desenrolar, jamais teria lhe pedido para vir.

– Brock?

Ele ergue os olhos devagar.

– Tá tudo bem com você? – pergunto suavemente.

– *Não.* – Ele me lança um olhar fulminante. – Que porra foi essa, Millie? Sério?

– Brock – falo com a voz aguda –, você não pode estar acreditando que...

– Acreditando *em quê*? – dispara ele. – Até poucas horas atrás, eu nem ao menos sabia que você tinha sido presa por homicídio. E agora descubro que estava me *traindo* com aquele babaca ricaço para quem você trabalhava...

– Eu não estava te traindo! – exclamo. – Eu nunca seria capaz de te trair!

– Então que raio estava fazendo na noite da quarta passada? – indaga ele. – O que estava fazendo na noite de *ontem?* E em todas as outras noites em que a gente tinha marcado de jantar, mas você furou comigo? Você deve estar vendo como essa história toda parece bastante suspeita. Especialmente considerando que, bom, considerando que pelo visto você já matou um cara uma vez.

Bom, não foi só uma vez. Mas sinto que fornecer essa informação não vai me ajudar.

– Eu te disse, estava tentando ajudar a Wendy.

– Tentando ajudar a mulher que agora está te acusando de ter um caso com o marido dela e depois *matar* o sujeito?

Tá, falando dessa forma...

– Não sei por que ela está dizendo isso ao investigador. Vai ver ela entrou em pânico. Mas, confia em mim, ele agredia ela. Eu vi com meus próprios olhos.

– Millie. – Brock me olha com uma expressão de dor. – Eu te liguei ontem à noite, e pela sua voz você estava muito abalada com alguma coisa. É óbvio que não estava com infecção estomacal nenhuma. Isso era mentira.

– É – admito. – Era mentira mesmo.

– Millie. – Sua voz falha ao dizer meu nome. – Você matou Douglas Garrick?

Quase tudo de que o investigador Ramirez me acusou era falso. Mas uma coisa era absolutamente verdadeira. Eu dei um tiro em Douglas Garrick. Eu o *matei*. E mesmo que negue todo o resto, esse fato permanece.

– Meu Deus – murmura Brock. – Millie, não acredito que você seria capaz de...

– Mas não é o que você pensa.

A cadeira de plástico de Brock arranha o chão duro da sala de interrogatório quando ele se levanta.

– Eu não posso representar você, Millie. Não é adequado e... não consigo.

Apesar de o meu namorado ter se mostrado um verdadeiro inútil durante o interrogatório, a ideia de ele me abandonar me deixa mais assustada ainda.

– Você sabe que não tenho dinheiro pra pagar um advogado...

– Você pode usar a defensoria pública – diz ele. – Ou pedir dinheiro emprestado, ou então... sei lá. Mas não tem como ser eu. Sinto muito.

– Então é isso. – Meu queixo treme quando ergo os olhos para ele. – Você está terminando comigo.

– É, né? – Ele balança a cabeça. – Sinceramente, eu nem sei quem você *é*. – Ele passa a mão pelos cabelos, puxando os fios num gesto obsessivo. – Não consigo acreditar que isso está acontecendo. Eu queria que você conhecesse meus pais. Pensei mesmo que você e eu...

Brock não precisa completar o raciocínio. Ele imaginou um futuro em que nós dois iríamos nos casar. Ter filhos juntos. Envelhecer juntos. Não imaginou que tudo fosse terminar numa delegacia, comigo sendo interrogada por suspeita de assassinato.

Então, na verdade, não posso culpá-lo por ir embora. Mas mesmo assim começo a chorar no momento em que a porta se fecha atrás dele.

QUARENTA E CINCO

O verdadeiro milagre é que depois disso tudo o investigador Ramirez não me prende. Quando ele me dá a notícia de que estou livre para ir embora, chego a lhe perguntar: "Tem certeza?" Eu estava certa de que iriam me prender, mas ele me deixa ir embora com o alerta de que não posso sair da cidade. Como não tenho dinheiro nem carro, não vou mesmo a lugar nenhum no futuro próximo.

Depois de sair da delegacia, levo a mão ao celular por instinto. Então me dou conta de que não tenho ninguém para quem ligar. Normalmente, teria telefonado para Brock e avisado que acabara de ser liberada, mas tenho a sensação de que ele não está nem aí.

Tem uma pessoa que poderia se importar, claro.

Enzo.

Enzo me ajudaria. Se eu ligasse, ele acreditaria sem questionar em cada palavra que eu dissesse. Só que não sei se quero ir por esse caminho outra vez. E como fiz todo aquele discurso sobre não precisar da ajuda dele, não estou disposta a voltar rastejando para ele uma semana depois, implorando para ele me salvar.

Posso salvar a mim mesma. Não estou presa. Talvez essa história toda acabe se resolvendo.

Após passar um instante pesando minhas alternativas, seleciono o número de Wendy na minha lista de contatos. Não sei se é correto ligar para ela neste momento, mas preciso de respostas. Nós fizemos um acordo ontem à noite, e o que o investigador está alegando contraria inteiramente o que decidimos. Mas, pensando bem, talvez ele tenha só inventado coisas para me assustar e me fazer confessar ou acusar Wendy. Acho que aquele investigador seria capaz de qualquer coisa.

É claro que a ligação cai direto na caixa postal.

O melhor é ir para casa. Afinal, amanhã pode ser que me prendam, e eu nunca mais vou poder ir para casa. Não tenho dinheiro para pagar a fiança.

Pego o trem de volta para casa. Depois de tudo o que aconteceu hoje, mal consigo colocar um pé na frente do outro. Preciso revirar a bolsa durante cinco bons minutos à procura das chaves até ter certeza de que as perdi. Quando estou a ponto de desistir, encontro o chaveiro preso no forro da bolsa.

– Millie!

Quase no mesmo segundo em que entro no prédio, minha senhoria, a Sra. Randall, já está saindo pela porta do seu apartamento no térreo, usando um daqueles seus vestidos extragrandes que não a apertam na cintura. Seu rosto enrugado está todo franzido, e o lábio inferior projetado para fora.

– A polícia veio aqui! – exclama ela. – Eles me obrigaram a abrir a porta do seu apartamento e fizeram uma busca! Tinham um papel dizendo que eu precisava deixar eles entrarem!

– Eu sei – respondo com um grunhido. – Sinto muito por isso.

A Sra. Randall estreita os olhos para mim.

– Está com drogas escondidas lá em cima?

– Não! Com certeza, não!

Eu acabei de assassinar uma pessoa, só isso. Puxa vida.

– Não quero mais nenhum problema no meu prédio – diz ela. – *Você* é puro problema. A polícia já veio aqui duas vezes por sua causa! Quero você *fora* daqui. Te dou uma semana.

– Uma semana! – exclamo. – Mas, Sra. Randall…

– Uma semana, e vou trocar as fechaduras – sibila ela para mim. – Não quero você por aqui, nem o que quer que esteja fazendo lá no seu apartamento.

Sinto um peso no peito. Como é que vou arrumar outro apartamento com todas as coisas que estão acontecendo? Talvez fosse melhor eu ser presa. Pelo menos assim teria onde ficar. E comida de graça.

Subo com dificuldade os dois lances de escada até meu apartamento. Imagino que o lugar vá estar todo revirado e não me decepciono. Os agentes de polícia que fizeram a busca nem sequer tentaram recolocar tudo no lugar certo. Vou levar o resto da noite para arrumar tudo.

Desabo no sofá, exausta. Não consigo lidar com essa bagunça hoje. Quem sabe amanhã. Quem sabe nunca. De que adianta, se vou ser presa de toda forma?

Em vez de arrumar, o que faço é pegar o controle remoto e ligar minha televisão vagabunda. Acho que é isso que vou fazer na minha última noite de liberdade.

Infelizmente, a televisão está sintonizada num canal de notícias. A história do assassinato de Douglas Garrick domina todos os noticiários no momento. A apresentadora loura de cabelos brilhantes relata agora que a polícia está conversando com um "suspeito".

Ei, eu estou na TV. Sou uma "suspeita".

A matéria então corta para um vídeo de Wendy. Ela está conversando com um repórter, com os olhos vermelhos e inchados. Os hematomas em seu rosto parecem ter desaparecido por completo, o que suponho ser devido à maquiagem. Ela se vira para falar com a câmera.

– Meu marido Douglas era um homem incrível – diz ela, com uma voz surpreendentemente firme, nem um pouco típica dela. – Era gentil, inteligentíssimo, e nós tínhamos planos de começar uma família juntos em breve. Ele não merecia ter a vida interrompida dessa forma. Não é justo ele ter... – Ela para de falar, engasgada de emoção. – Eu... me desculpem...

O que foi *isso*?

Como Wendy pôde falar assim sobre Douglas depois do que ele fez com ela? Eu entendo não querer falar mal dos mortos, mas ela está fazendo o homem parecer uma espécie de santo. Ele estava a segundos de matá-la esganada quando pus fim à sua vida. Por que ela não diz *isso* ao repórter?

A imagem corta para a apresentadora loura. Seus olhos azul-claros se cravam na tela.

– Para quem ligou a TV agora, nossa principal notícia é o brutal assassinato do multimilionário Douglas Garrick, CEO da Coinstock. Ele foi encontrado morto em seu apartamento no Upper West Side ontem à noite, atingido por um tiro fatal no peito.

A tela mostra a foto de um homem de 40 e poucos anos com a legenda "Douglas Garrick, CEO da Coinstock". Fico encarando a imagem, os cabelos escuros e olhos castanho-claros do homem, sua papada e os vincos ao redor dos olhos enquanto ele sorri para a câmera. Ao encarar a foto de Douglas Garrick, me dou conta de uma coisa.

Eu nunca vi esse homem na minha vida.

O homem cuja foto está sendo mostrada na tela é inteiramente desconhecido para mim. Ele se parece *um pouco* com aquele com quem venho interagindo na cobertura, e de longe talvez não desse para ver a diferença. Só que não é ele. *Com certeza* não é. Esse homem é uma pessoa totalmente diferente.

Então, se esse homem na tela é Douglas Garrick…

Quem foi que eu matei ontem à noite?

PARTE II

QUARENTA E SEIS
WENDY

Você deve estar me achando uma pessoa horrorosa.

Será que ajudaria dizer que, embora nunca tenha encostado um dedo em mim, Douglas era um péssimo marido? Ele me humilhava e fazia da minha vida um martírio. E eu teria ficado feliz em me divorciar.

Não precisava ter acabado em assassinato. Isso foi tudo culpa dele.

Quanto a Millie? Bom, ela foi uma triste vítima. Só que ela não é tão encantadora quanto se poderia pensar. Se passar a vida atrás das grades, será para o bem maior.

Mas, mesmo depois de ouvir o meu lado da história, você talvez continue me achando uma pessoa horrorosa. Talvez acredite que Douglas não merecesse morrer. Talvez pense que quem merece passar o resto da vida atrás das grades sou eu.

E a verdade é que estou pouco me lixando.

• • •

Como assassinar seu marido e se safar – Um guia, por Wendy Garrick

Passo 1: Encontre um homem que seja solteiro, sem noção e podre de rico

Quatro anos antes

Eu não entendo nada de arte contemporânea.

Minha amiga Alisa me mandou um convite para essa exposição numa galeria, mas é tudo estranho demais para mim. Estou acostumada a admirar quadros como lindas obras de habilidade artística. Mas isso? Eu nem *sei* o que é isso.

O título da mostra é simples: *Peças de roupa*. E é exatamente disso que se trata. Peças de roupa penduradas nas paredes, em frangalhos, reconstituídas para formar uma colcha de retalhos de veludo cotelê, cetim, seda e poliéster. É um total absurdo. Quando foi que a arte virou uma coisa que parece algo feito por uma criança durante a aula de educação artística na escola?

A obra que estou vendo agora tem o seguinte título: *Meias*. É um nome adequado. Trata-se de uma moldura gigantesca, com no mínimo a mesma altura que a minha, e cada centímetro está coberto por meias de formatos e tamanhos diversos.

Eu simplesmente... simplesmente não entendo.

– Uma das minhas meias está furada – diz uma voz masculina atrás de mim. – Acha que tudo bem se eu pegasse uma dessas daí emprestada?

Viro para identificar o dono da voz. Reconheço na mesma hora Douglas Garrick. Antes da exposição, estudei com todo o cuidado uma rara fotografia que Alisa encontrou para mim: decorei os cabelos castanhos despenteados, os vincos ao redor dos olhos num quase sorriso, um incisivo esquerdo torto. Ele está usando uma camisa social branca barata que parece ter sido comprada no Walmart, e errou uma casa de botão. Não, peraí, ele errou todas as casas. Todos os botões de alto a baixo estão nas casas erradas. E ele precisa fazer a barba... urgentemente.

Ninguém nunca adivinharia que esse homem é uma das pessoas mais ricas do país.

– Não vejo como eles poderiam dar falta – respondo, tentando soar casual, apesar de o meu coração estar fazendo polichinelos dentro do peito.

Ele sorri para mim e estende a mão. Mal dava para perceber na foto que eu vi, mas na vida real ele tem papada, embora nada que um pouco de dieta e exercício não possam resolver.

– Doug Garrick.

Aperto sua mão, que está quente e engole a minha como se as duas tivessem sido feitas para se encaixar.

– Wendy Palmer.

– Muito prazer em conhecê-la, Wendy Palmer – diz ele, quando seus olhos castanhos encontram os meus.

– Igualmente, Sr. Garrick.

– Então... – Ele se apoia nos calcanhares dos sapatos sociais gastos. – O que está achando de *Peças de roupa*?

Corro os olhos pelo recinto em direção a todas as obras baseadas em roupas. Sei um pouco sobre Douglas Garrick, e creio que ele seja um homem que valorize a verdade.

– Pra ser sincera, não entendi muito bem – respondo. – Eu mesma poderia criar uma dessas obras com um pouco de cola e uma caixa de roupas que foram doadas.

Douglas franze a testa.

– Mas não é esse o objetivo? O artista está tentando desafiar o *status quo* e fazer uma crítica à arte tradicional ao demonstrar que até mesmo os objetos mais corriqueiros podem ser transformados em algo que desperte emoções.

– Ah. – Puxa, agora preciso pensar em algo inteligente para dizer. – Bom, acho mesmo que a interação entre textura e cor...

Paro ao ver o sorriso irônico nos lábios de Douglas. Ele o mantém por uma fração de segundo, então começa a rir.

– Essa baboseira fez parecer que eu sabia do que estava falando?

– Um pouco – reconheço, envergonhada.

– Sabe o que eu adoro nesta galeria? – diz ele. – A comida. A comida é... – Ele beija a ponta dos dedos. – Um espetáculo. Eu topo olhar para algumas paredes de meias em troca daqueles tira-gostos.

– Pois é – murmuro.

Não comi nada desde que cheguei à galeria. O vestido Donna Karan me cai como uma luva, igualmente justo nos seios, na barriga e na bunda, mas se eu começar a me empanturrar de camarão ao molho rosé alguma protuberância feiosa pode se formar.

Ele baixa os olhos para minhas mãos vazias.

– Deixa eu pegar alguns dos meus preferidos pra você. Confia em mim.

Abro um sorriso para ele.

– Fiquei curiosa.

– Não saia daqui, Wendy Palmer.

Douglas me dá uma piscadela antes de seguir depressa até a mesa de tira-gostos. Pega um prato e começa a empilhar uma quantidade perturbadora de petiscos. Ai, meu Deus. Por que ele está pondo tanta comida assim no prato? Eu não tomo café nem almoço, e já comi uma salada antes de vir para cá. O que esse homem está fazendo comigo?

Estou a ponto de ter um ataque de pânico com toda a comida que ele está pegando, mas como o prato é minúsculo, não deve ter tanto problema assim. Basta eu jantar pouco amanhã à noite.

– Aqui está. – Ele volta depressa até onde me encontro, ansioso para me mostrar tudo que conseguiu coletar para mim. – Estes são meus preferidos. Experimente primeiro a torta de cogumelo.

Pego a torta e dou uma mordida. Está sensacional. Se eu tivesse de chutar, diria que essa única mordida deve ter umas quinhentas calorias. Não é de espantar que Douglas tenha papada. E ele não está nem aí, porque não é mulher e além do mais é extraordinariamente rico.

– Então, tem uma obra ali do outro lado chamada Calças – conta ele. – Quer tentar adivinhar o que vamos ver?

Ele sorri, sustentando meu olhar, apesar de o meu vestido ter um decote de profundidade espantosa. Quando vim aqui hoje com a intenção de seduzir Douglas Garrick, não esperava encontrar um homem desses.

Vai ser bem mais fácil do que eu imaginava.

QUARENTA E SETE

Passo 2: Case-se com o homem podre de rico

Três anos antes

Douglas pode ser absolutamente enlouquecedor.

Ele está me atormentando. Está fingindo ser um cara legal – e até pé no chão, levando em conta seu trabalho e sua fortuna pessoal –, mas, na verdade, ele é sádico. Não há outra explicação para se comportar dessa forma.

– O que você acha que está fazendo? – disparo num tom ríspido.

Ele pelo menos tem a decência de parecer envergonhado. E deveria mesmo! Já é ruim o suficiente o cara se sentar na sala da nossa casa só de samba-canção – samba-canção! –, mas precisamos chegar daqui a menos de uma hora numa festa na casa de Leland Jasper, e Douglas não está nem de longe pronto. Eu tinha programado tudo com perfeição para chegarmos atrasados com estilo, mas agora ele está em pé na cozinha, de calça de moletom e camiseta, comendo Nutella direto do pote.

Meu coração não aguenta uma loucura dessas.

– Me deu fome – justifica ele.

Então, pousa a espátula na bancada da cozinha, sujando a superfície de mármore com o creme marrom-escuro.

– Douglas – começo, com a paciência se esgotando depressa. – A gente precisa sair em dez minutos. Você não está nem vestido.

– Sair pra onde?

Ele está me torturando. Está fazendo de propósito. Não posso imaginar que esse comportamento não seja intencional: ninguém consegue ser tão sem noção assim.

– Para a casa da Leland! A festa é hoje!

– Ah, é. – Ele geme e esfrega as têmporas. – Nossa, a gente precisa mesmo ir? A gente detesta a Leland e o marido dela. Não foi isso que comentamos outro dia? Além do mais, que nome é esse, Leland? Ela com certeza inventou.

Ele está coberto de razão, o que não significa que possamos faltar à festa. Todo mundo vai estar lá. E quero que as pessoas me vejam usando meu vestido novo da Prada, com meus cabelos ruivos perfeitamente penteados e realçados por luzes, de braços dados com meu noivo bonito e inacreditavelmente rico, que estará vestindo um terno Armani que disfarça as gordurinhas do seu abdome. Fui eu que escolhi o terno justamente por esse motivo. Antes de mim, ele costumava andar por aí usando ternos vagabundos que deixavam à mostra o contorno da sua barriga.

– A gente tem que ir – digo entredentes. – Não quero ouvir mais nenhuma palavra em relação a isso. Você precisa se vestir… agora.

– Mas, Wendy… – Douglas me segura pelo braço e me puxa para junto de si. Seu hálito está com cheiro de avelã. – Por favor, essa festa vai ser um saco. Vamos… sei lá, vamos ao cinema só nós dois, que tal? Como a gente fazia quando começamos a sair? Quem sabe ver o filme novo dos Vingadores?

Uma coisa que eu não tinha notado em relação a Douglas antes de conhecê-lo é que ele é um nerd irremediável. Nem sequer tenta esconder isso. Tudo que ele quer é assistir a filmes de super-heróis e ficar vegetando no sofá com o laptop no colo, comendo Nutella do pote. O único motivo de ter virado CEO da Coinstock é por ser um gênio maluco inventor de um software que acabou sendo usado por todos os bancos do país.

– A gente vai nessa festa – repito pelo que parece ser a centésima vez. Eu juro, esse homem nunca me ouve. – Agora, vai se vestir. Rápido.

– Tá, tá bom.

Ele aproxima o rosto para tentar me dar um beijo de Nutella, mas como estou de Prada, dou um passo para trás e levanto as mãos para mantê-lo afastado.

– Você pode me beijar depois que trocar de roupa.

Douglas enfia o pote de Nutella de volta no armário e sai da cozinha em direção à nossa sala inacreditavelmente pequena, arrastando os pés. Esse apartamento inteiro é uma lástima. Temos só três quartos, e como um deles é o escritório de Douglas, é como se só tivéssemos *dois*. Assim que nos casarmos, vamos fazer uma baita melhoria nessa situação, além de comprar a casa dos meus sonhos. Bom, na verdade, é a casa dos sonhos de Douglas, porque o meu sonho com certeza não é morar num bairro rico.

Abro um sorriso toda vez que penso na casa em que vamos morar um dia. Quando eu era pequena, meu pai fazia serviços de manutenção e minha mãe mal ganhava um salário mínimo trabalhando numa pré-escola. Nós morávamos numa casa minúscula, e eu dividia o quarto com minha irmã mais nova, que fazia xixi na cama à noite até os 8 anos de idade. Estudei o suficiente na escola para ganhar uma bolsa e ir para uma escola particular metida a besta, onde todos os outros alunos gozavam da minha cara por eu não me vestir tão bem quanto eles.

Tudo que eu queria era uma calça jeans de marca como a da minha linda e cruel colega de turma Madeleine Edmundson. E quem sabe um casaco de inverno que não fosse de segunda mão e todo furado.

Achei que fosse conseguir dar uma guinada na vida na faculdade, mas as coisas não correram como eu esperava. Teve aquele incidente horrível em que me acusaram de colar, e no penúltimo ano da graduação fui proibida de fazer a rematrícula. Todas as minhas perspectivas de carreira pareceram ir por água abaixo quando fui escoltada para fora do campus.

Queria que todos eles me vissem agora.

A campainha toca bem nessa hora, o que me enlouquece. Antes de eu poder dizer a Douglas que vou cuidar de quem quer que esteja tocando, ele diz:

– Deve ser o Joe. Ele veio deixar uns documentos de que estou precisando. Vai demorar só um instante.

Joe Bendeck é o advogado de Douglas. Embora provavelmente faça parte do motivo que explique a imensa riqueza de Douglas, ele não é a pessoa que eu mais gosto no mundo, e ele por sua vez também nutre uma antipatia mal disfarçada por mim. Fico feliz por Douglas se encarregar dele.

Mas é estranho ele estar passando aqui tão tarde da noite. Não é algo sem precedentes, mas mesmo assim é incomum. Fico me perguntando o que ele quer...

Enquanto Douglas vai falar com Joe, fico por perto para escutar a conversa dos dois. Douglas em geral não me envolve no seu trabalho, mas é inteligente estar a par do que posso a respeito do que está acontecendo.

– Só isso? – pergunta Douglas.

– Só – responde Joe. – E eu também trouxe outra coisa pra você...

Ouço papéis farfalhando e Douglas abrindo um envelope.

– Ah, Joe. Já te disse, não posso pedir pra ela fazer isso...

– Doug, você tem que pedir. Seu casamento é daqui a poucas semanas, e você não pode se casar com essa mulher sem um acordo pré-nupcial.

– Por que não? Eu confio nela.

– Isso é um grande erro.

– Olha, eu não... é como começar um casamento com o pé esquerdo.

– Doug, vou te dar um conselho jurídico gratuito. Se o casamento der errado, ela vai ficar com metade de tudo que você trabalhou para conseguir. Esse documento aí é a *única* coisa que te protege. Você seria uma anta completa de se casar com ela sem fazê-la assinar.

– Mas...

– Não tem mas nem meio mas. Você só se casa com essa mulher se ela assinar. Se ela te amar de verdade e quiser ficar casada com você, então isso não deveria ser um problema, certo?

Prendo a respiração, aguardando para ouvir o que Douglas vai dizer. Espero ele mandar Joe para o inferno. Mas, além de ser seu advogado, Joe é também seu amigo mais antigo e mais próximo.

– Tá bom – concorda Douglas. – Vou providenciar isso.

QUARENTA E OITO

– É extremamente generoso – ressalta Joe Bendeck.

Ele está em pé junto a mim e Douglas na nossa sala de estar, me explicando as cláusulas do acordo pré-nupcial. Douglas não me entregou o documento naquela noite. Ele esperou mais alguns dias, amortecendo o golpe com umas flores e um colar de brilhantes da Tiffany's. O que não amorteceu o golpe tanto assim.

– Não me sinto à vontade com a ideia de um acordo pré-nupcial. – Olho na direção de Douglas, que está sentado ao meu lado, vestido como um completo desleixado, de jeans e camiseta. – Amor, a gente precisa fazer isso?

– É *muito* generoso – insiste Joe. – Dez milhões de dólares em caso de divórcio. Mas você não pode pleitear os outros bens dele.

– Eu não quero os bens dele. – Ponho a mão no joelho de Douglas e sinto a textura gasta do tecido da sua calça jeans. – Só quero me casar em paz.

– Então assine – conclui Joe. – E nunca mais te aborreço com isso.

– É que eu… – Saco do bolso um lenço bordado e seco os olhos. – Achei que você confiasse em mim, Douglas.

– Ah, pelo amor de Deus – resmunga Joe. – Doug, você vai mesmo cair nessa?

Douglas lança um olhar para o amigo e passa o braço em volta dos meus ombros. Ele não suporta ver mulher chorando.

– Não é nada disso, Wendy. Eu confio em você, sim. E te amo muito.

Ergo o rosto molhado de lágrimas para encará-lo.

– Eu também te amo.

– Mas não posso me casar com você sem um acordo – acrescenta ele. – Sinto muito.

Vejo nos olhos castanhos de Douglas que ele está falando sério. Joe o convenceu, e agora ele está fazendo o que ele manda.

Dou uma espiada nos documentos sobre a mesa de centro na minha frente. A pilha de papéis tem 5 centímetros de espessura. Mas Joe realçou os pontos principais para mim. Está escrito, preto no branco, que, se nos divorciarmos, receberei 10 milhões de dólares. O que não equivale nem de perto a metade da fortuna de Douglas, mas nem por isso é uma quantia desprezível. Esse dinheiro poderá me bancar de maneira confortável pelo resto da vida se as coisas aqui não derem certo.

Não que eu imagine que vamos nos separar. Espero que Douglas e eu fiquemos juntos até que a morte nos separe, blá-blá-blá. Mas nunca se sabe. Douglas precisa de uma baita reforma, e reconheço haver uma chance de eu não conseguir reformá-lo do jeito que eu gostaria.

– Tá bom – digo por fim. – Eu assino.

QUARENTA E NOVE

Passo 3: Curta a vida de casada... por um tempo

Dois anos antes

– Meu Deus do céu. Que loucura este lugar.

Douglas está relutante em comprar essa cobertura. Ele acha que devemos continuar morando pelo resto da vida naquele minúsculo apartamento de três quartos. Bom, é verdade que temos a casa que compramos lá na ilha, só que não sei quanto tempo vou passar lá. Mas Douglas gosta da casa. Lá tem cinco quartos, e ele não para de falar de um jeito irritante sobre todos os filhos com os quais vamos ocupá-los.

– Esta cobertura é menor do que a do Orson Dennings – assinalo.

Tammy, nossa corretora, assente com entusiasmo.

– Esta é apenas uma cobertura de nível *médio*.

Douglas pisca ao olhar para as claraboias.

– Eu nem entendo por que a gente precisa de uma cobertura! Já temos uma casa inteira!

Eu não tinha percebido o quanto meu marido é sovina antes de começarmos a procurar apartamento. Qualquer coisa com mais de quatro quartos é "um exagero de grande". E ele não para de falar sobre a casa na ilha, como se qualquer um fosse passar o tempo todo em *Long Island*. Por favor, né.

– Eu estava mantendo o apartamento para o caso de precisar ficar na cidade para alguma reunião – lembra ele. – Mas não é aqui que a gente vai *morar*. A gente vai morar é na casa.

– Por que a gente tem que morar num lugar só?

– Porque não somos *malucos*?

– Muita gente mantém residências tanto fora da cidade quanto dentro dela – entoa Tammy.

– A gente já tem uma residência na cidade! – argumenta Douglas.

Ele está ficando frustrado. Douglas foi criado pela mãe solo num apartamento em Staten Island. Estudou numa escola de ensino médio pública especial no centro para crianças supernerds e pagou ele próprio a formação no MIT com um misto de bolsas de estudos, estágios e financiamento. Ele não está acostumado a ter grana. Não sabe o que fazer com ela.

Ele deveria ter uma aula comigo. Meu pai nunca dirigiu nada a não ser carros usados, e minha mãe recortava cupons de desconto das revistas. Todas as peças de roupa compradas para a minha irmã mais velha, sem exceção, só eram jogadas fora depois que as outras três irmãs também tivessem tido oportunidade de usar. Cada peça era usada até ficar absolutamente gasta.

Eu odiava viver assim. Costumava ficar deitada na cama e fantasiar sobre como seria ser rica um dia. E, agora que somos ricos, por que não deveríamos comprar tudo com que sempre sonhamos?

Depois de passarmos a infância sendo pobres, nós dois temos dinheiro. E vamos, sim, nos comportar de modo condizente com isso.

– Douglas. – Corro um dedo pelo braço dele. – Sei que parece meio extravagante, mas este é o apartamento dos meus sonhos. Já estou apaixonada.

– E além do mais o preço caiu – salienta Tammy.

– Caiu porque ninguém tem dinheiro pra comprar este lugar ridículo – resmunga Douglas, embora eu possa ver que parte de sua determinação já arrefeceu.

– Por favor, amor. – Bato os cílios para ele. – Vai ser tão incrível ter um lugar pra passar a noite quando trouxermos as crianças para a cidade.

Isso sempre funciona com ele. Toda vez que eu quero que algo saia do meu jeito, tudo que preciso fazer é mencionar nossos filhos fictícios em potencial. Douglas quer ter quatro, mas não é ele quem tem que parir.

– Tá bom. – Seus olhos se suavizam. – Por que não? Acho que poderia ser tipo como uma isenção de impostos ou algo assim.

– Claro! – exclama Tammy, farta disso tudo, num tom bem agudo.

– Obrigada, meu bem.

Eu me inclino para beijar meu marido. Quando ele me toma nos braços, não consigo deixar de notar que ficou um pouco mais gordinho do que era quando nos conhecemos, que é a direção contrária à que deveria estar tomando. Isso é uma coisa em relação à qual ele vai precisar se esforçar mais, entre outras. Douglas ainda é em grande parte uma obra em andamento.

CINQUENTA

Adoro almoçar com minha amiga Audrey. Ela sempre sabe as *melhores* fofocas.

Sempre sonhei ter uma vida assim. Em que estou livre no meio do dia para almoçar com uma amiga num dos restaurantes mais caros da cidade. Às vezes, sinto vontade de me beliscar para me certificar de que não é um sonho.

E há também outros momentos em que estou com Douglas, e ele suga minhas forças até a última gota. Tem hora que sinto vontade de lhe dar um *beliscão*.

Audrey parece estar explodindo com uma fofoca das boas. Ela é casada com um homem bem rico (e bem mais velho do que ela), mas não com tanto dinheiro quanto Douglas. Ela nunca teria condições de comprar uma cobertura como a nossa.

– Adivinha – provoca Audrey enquanto leva os dedos aos lábios cor de framboesa.

Isso é sempre o começo de alguma fofoca fantástica. Não sei como ela fica sabendo de tanta coisa; eu *jamais* contaria a ela nenhum segredo meu.

– O divórcio da Ginger Howell finalizou.

– Aah – comento. – Esse foi brabo.

O marido de Ginger, Carter, é o contrário de Douglas. Ele é o cara super-possessivo que nunca tirava os olhos dela sempre que estávamos em alguma festa. Toda vez que ela saía conosco, tinha que avisar ao marido o horário exato em que estava saindo, o que ia fazer e quando estaria de volta. Tenho certeza de que era exaustivo para ela, mas havia também algo na forma como seu marido a controlava que eu achava sexy. Além do quê, Carter é tão atraente que chega a ser arrasador e se mantém bem em forma, ao contrário do meu marido.

– Bom. – Audrey mordisca uma folha de alface. – Ela teve ajuda da Millie.

– Millie? Quem é essa?

Audrey me olha com espanto, e minhas bochechas ficam coradas. Será que Millie é alguém importante no nosso círculo social de quem eu esqueci por algum motivo? Mas Audrey então revela:

– É uma faxineira.

– Tá…

– Mas ela tem uma reputação… – Audrey abaixa um pouco a voz, o que significa que está prestes a contar uma fofoca *realmente* boa. – Para mulheres que estiverem tendo questões com os maridos, ela ajuda. Cuida de tudo pra elas.

– Questões?

No meu cérebro, começo a ticar a lista de maus hábitos de Douglas. Quando vai ao banheiro, ele sempre usa metade do rolo de papel higiênico. Ele come os alimentos direto do pote na geladeira, embora eu tenha lhe pedido várias vezes para não fazer isso. Quando vai a um restaurante chique, nem sequer se dá ao trabalho de aprender que garfo usar no momento certo, e mesmo quando lhe indico isso no começo da refeição, ele ainda assim erra na metade das vezes, o que me leva a pensar que está apenas chutando.

Eu antes achava que poderia mudar Douglas. Que, com a minha ajuda, ele poderia se tornar uma pessoa melhor, como me tornei. Mas pelo visto ele só está piorando.

– Questões graves – esclarece Audrey. – Tipo, o marido de Ginger abusava dela. Vivia batendo nela… chegou a quebrar seu braço.

– Nossa! – exclamo com um arquejo.

Não posso alegar que essa seja uma questão que eu tenha. Douglas jamais encostaria um dedo em mim. Ficaria horrorizado com a ideia.

– Que horror – comento.

Ela aquiesce com gravidade.

– Então essa tal de Millie ajuda. Ela fala o que dizer e o que fazer. Consegue a ajuda necessária. Ela encontrou um ótimo advogado para Ginger. E ouvi dizer até que ajudou algumas mulheres a desaparecerem quando essa era a única alternativa.

– Uau.

– E não é só isso. – Audrey mastiga uma das suas folhas de alface, em seguida dá uma batidinha na boca com o guardanapo. – Ouvi dizer que em uma ou duas situações que não tinham saída, essa tal de Millie... você sabe, apagou o cara.

Cubro a boca.

– Não...

– Pois é! – Audrey parece encantada por estar compartilhando essa revelação. – Ela é barra-pesada, pode acreditar... é um perigo. Se ela achar que um cara está machucando uma mulher, é capaz de praticamente qualquer coisa para fazer ele parar. Ela foi *presa* por atacar sei lá que cara que estava tentando estuprar uma amiga. Matou o sujeito.

– Nossa...

Audrey come outra garfada de salada, em seguida afasta o prato.

– Estou cheia – anuncia, embora mal tenha comido metade do prato, que, para começo de conversa, era só uma saladinha verde. – Wendy, tem certeza de que não quer comer nada?

Tomo um gole da minha mimosa.

– Eu comi bastante no café da manhã.

Ela estreita os olhos para mim, possivelmente por eu não ter pedido comida alguma em nossos últimos três almoços juntas. Mas sempre peço uma bebida.

– Imagino que vocês não estejam tendo muita sorte no quesito gravidez – comenta ela.

Amaldiçoo o fato de, alguns meses antes, ter por acaso comentado que Douglas estava animado para engravidarmos logo. Simplesmente me escapou. Já faz um ano mais ou menos que estamos tentando ter um filho. Não tem corrido muito bem... ou seja, não estou grávida.

– Ainda não – respondo.

– Eu conheço um especialista em fertilidade sensacional – diz Audrey. – Laura foi paciente dele, e olha só o que aconteceu.

Nossa amiga Laura agora tem meninos gêmeos, que da última vez que esbarrei com ela na rua não paravam de chorar. Faço uma careta.

– Tudo bem. A gente prefere tentar do jeito antiquado.

– Tá, mas você não está ficando mais nova – lembra ela. – Olha o relógio, Wendy.

– Tá bom. Me passa o nome do médico de fertilidade.

Adiciono o número no meu celular, embora não tenha a menor intenção de ligar para ele. Mas, se Douglas me perguntar, pelo menos posso fingir que estou fazendo alguma coisa.

CINQUENTA E UM

Passo 4: Entenda que você e seu marido são totalmente errados um para o outro

Um ano antes

Douglas entra na sala de jantar da nossa casa em Long Island e empaca ao ver os dois lugares postos na mesa.

– Cadê o resto do nosso jantar? – pergunta ele. – Na cozinha?

– Não. – Já estou sentada diante da mesa com um guardanapo no colo. – Este é o nosso jantar. A Blanca fez uma salada pra gente.

Douglas encara a saladeira como se tivessem lhe servido uma tigela de veneno.

– Só isso? O jantar inteiro?

Dou um suspiro. Eu me lembro de ter reparado na papada de Douglas na primeira vez que o vi; naquela noite, jurei que o faria entrar em forma para aquilo desaparecer. Mas ele na verdade está ainda mais fora de forma do que naquela noite. E, para falar a verdade, parece não estar nem aí.

– Tem alface, tomate, pepino e cenoura ralada – ressalto. – Comer salada todo dia é o que me impede de ficar inchada. Você deveria experimentar.

– Wendy, você é magra demais – assinala ele. – Tem pavor de pensar em comer qualquer coisa que não seja uma folha de alface ou um palito de aipo.

Fico rígida.

– Só estou me mantendo saudável.

– Eu estou *preocupado* com você. – Ele franze o cenho enquanto se senta diante da salada ofensiva. – Você nunca come nada. E desmaiou ontem depois de correr.

– Não desmaiei, nada!

– Desmaiou, sim! Estava superpálida, aí sentou no sofá, e eu não consegui te acordar. Estava a ponto de chamar uma ambulância.

– Eu estava *cansada*. Tinha acabado de dar uma corrida longa. – Eu me animo um pouco. – Por que não vem correr comigo amanhã?

– Meu Deus, acho que não conseguiria te acompanhar.

Inclino a cabeça.

– Humm. Então qual de nós dois não é saudável, mesmo?

Douglas coça a cabeça.

– Além do mais, vai ver estar tão magra é o que está te impedindo de engravidar. Li que isso não é bom para a fertilidade.

– Ai, meu Deus. – Dou um gemido. – Tudo sempre acaba nisso, né? Será que a gente não pode mais ter nenhuma conversa em que você não me culpe por ainda não ter engravidado?

Douglas abre a boca para dizer alguma coisa, mas então parece mudar de ideia.

– Desculpa, você tem razão.

Ele baixa os olhos para a salada à sua frente. Franze o nariz.

– Tem algum molho nesta salada?

– Um vinagrete zero gordura.

– Não estou vendo.

– É transparente.

Ele mergulha o garfo na alface crocante e espeta alguns pedaços. Enfia a comida na boca e mastiga.

– Tem certeza de que está temperada? Porque a minha impressão é estar comendo a grama que tem na frente daqui de casa.

– Eu disse pra Blanca pôr só um pouquinho. É zero gordura, mas não zero caloria.

Douglas continua a mastigar. Seu pomo de adão sobe e desce quando ele engole um bocado de salada. Ao terminar, ele arrasta a cadeira para trás pelo chão e se levanta.

– Aonde você vai? – pergunto a ele.

– Ao KFC.

– Como é que é? – Fico de pé. – Sério, Douglas. Você vai conseguir. A gente vai conseguir junto.

– Por que não vem comigo? – rebate ele.

– Você só pode estar de brincadeira.

– A gente às vezes comia fast food quando estava namorando – lembra ele. É verdade, embora eu tenha tentado esquecer essas terríveis lembranças. – Vamos. A gente passa no drive-thru. Vai ser divertido. Ouvi dizer que lá tem um sanduíche em que usam frango frito no lugar do pão. Não quer experimentar? Ou pelo menos ver que cara tem?

Meus dias de fast food supostamente deveriam ter acabado quando me casei com um milionário da tecnologia. Balanço a cabeça.

Douglas me lança um olhar triste, mas não se detém. Ele sai de casa, entra no carro e se vai, provavelmente para ir comprar um sanduíche em que usam frango frito no lugar do pão.

É nessa hora que entendo que não posso mais ser fiel ao meu marido, porque não o respeito mais.

CINQUENTA E DOIS

Diante do colapso do meu casamento, decido que preciso de um pouco de terapia do consumo. Ou seja: precisamos de móveis novos.

Espero até estar de volta a Manhattan, pois é absolutamente impossível encontrar qualquer coisa decente na ilha. Sem que eu soubesse, Douglas organizou a transferência da maior parte da mobília do antigo apartamento para a nossa cobertura, e as peças são todas horrorosas. Parecem o tipo de coisa que alguém compraria numa loja com a palavra "saldão" ou "atacado" no nome. Mal consigo suportar olhar para aquilo.

Tentei explicar para ele que os móveis de uma casa precisam combinar uns com os outros e que peças clássicas e antigas combinariam não só entre si, mas também com o décor do nosso edifício em estilo gótico. Douglas se limitou a olhar para mim com um ar de quem não estava entendendo porque eu não estava falando em JavaScript, Klingon ou sei lá qual linguagem ele compreende melhor. Por fim, assentiu e me disse para comprar o que quisesse.

Por isso, estou saindo à caça de lindas antiguidades para decorar nossa cobertura quando dou de cara com Marybeth Simonds na portaria do meu prédio.

Marybeth é recepcionista na empresa de Douglas. Já a encontrei algumas vezes, e ela é razoavelmente simpática. Tem seus 40 e poucos anos, cabelos loiros começando a ficar grisalhos e um rosto de aspecto inexpressivo. Ela usa aquelas saias cafonas que têm o comprimento absolutamente exato para fazer as panturrilhas parecerem tão grossas quanto possível. Na primeira vez que a vi, determinei que ela não representava nenhuma ameaça à fidelidade do meu marido e nunca voltei a pensar nela outra vez.

– Wendy! – exclama Marybeth. – Ah, que bom que te encontrei.

Ela está segurando um envelope pardo, decerto algum documento incrivelmente desinteressante para entregar a Douglas. Marybeth precisa buscá-los para ele, pois Douglas raramente vai ao escritório. Ele prefere trabalhar em vários cafés aleatórios espalhados pela cidade ou então na nossa casa em Long Island.

– O Doug tá em casa? – pergunta ela.

– Infelizmente, não. – Baixo os olhos para o meu relógio de pulso. – E não estou com tempo para cuidar de nenhuma papelada aleatória pra ele. Você vai ter que deixar com o porteiro.

O sorriso de Marybeth vacila de leve, mas ela assente. Douglas gosta dela por causa de seu temperamento afável, o que desconfio significar que ela seja um capacho.

– Claro, Wendy, com certeza. Pra onde você tá indo?

Essa intimidade me surpreende um pouco, mas recordo a maneira como a vida cotidiana das pessoas incrivelmente ricas costumava me fascinar quando eu era pobre. Antes, eu vivia lendo reportagens sobre pessoas como eu.

– Estou só indo comprar uns móveis – respondo.

– Móveis? – Os olhos dela começam a brilhar. – Sabia que o meu marido, Russell, é gerente de uma loja de móveis? Uma loja pequena, mas os móveis são incríveis. E ele te faria um ótimo desconto. – Ela remexe na bolsa, quase deixando cair o envelope pardo, e por fim saca um cartão branco retangular com uma pequena mancha de batom. – É o cartão dele. É só dizer que fui eu que te mandei lá.

Pego o cartão entre a ponta do indicador e do polegar, relutando em tocá-lo depois de ele ter estado dentro da bolsa de Marybeth junto com sabe-se lá mais o quê.

– É. Pode ser.

– Bom… – Ela me abre um sorriso radiante. – Bom te ver, Wendy.

Ela começa a andar na direção do porteiro, mas, antes que possa se afastar, eu a chamo pelo nome.

– Marybeth?

Ela se vira com o mesmo sorriso agradável estampado no rosto.

– Pois não?

– Eu preferiria que você me chamasse de Sra. Garrick – digo a ela. – Afinal, nós duas não somos amigas. Eu sou a esposa do seu chefe.

Marybeth se esforça para manter o sorriso nos lábios.

– Claro. Sinto muito, Sra. Garrick.

Fico pensando se estou sendo cruel. Mas não me casei com um dos homens mais ricos da cidade só para a recepcionista dele me chamar de *Wendy*.

CINQUENTA E TRÊS

Só para provar que não sou a mulher mais horrível da face da Terra, decido comprar um ou dois móveis de Russell Simonds. É justo eles poderem aproveitar um pouco do nosso dinheiro. E, se as coisas forem realmente cafonas demais para se ter em casa – como desconfio que vão ser –, posso muito bem doar.

Não é nenhuma surpresa a loja de móveis ser compacta. Eu havia imaginado sofás quadrados e duros, mas ao entrar me deparo com uma bela cômoda em vez disso. Paro por um instante para admirar a esplêndida peça de carvalho que foi cuidadosamente lixada e envernizada e está combinando com um lindo espelho rebuscado acima. Corro o dedo pela frente de uma das três gavetas de encaixe, cada qual com uma pequena fechadura.

É exatamente isso que eu estava procurando. Preciso disso para o meu lar.

– Linda peça, não?

Viro para identificar o dono da voz grave e encorpada atrás de mim. Por uma fração de segundo, quase penso estar olhando para meu próprio marido. Mas, não: esse homem com toda a certeza *não é* Douglas Garrick. Tem mais ou menos a mesma altura de Douglas, uma constituição física parecida – ou a constituição que Douglas teria se frequentasse a academia de vez em quando – e os cabelos mais ou menos da mesma cor, embora bem cortados. Apesar de trabalhar numa loja de móveis, está usando uma camisa social branca impecável e uma gravata com o nó perfeito. Esse homem se parece com o homem no qual eu esperava transformar Douglas na primeira vez que o encontrei, naquela exposição de arte moderna. Ele é o Douglas 2.0, ao passo que meu marido mal chega a ser a versão beta.

– É uma peça vintage – informa ele. – Mas eu mesmo restaurei.

– Seu trabalho ficou incrível – sussurro em resposta. – Eu amei.

Ele sorri para mim, e meus joelhos tremem de leve.

– Ah, isso não é jeito de pechinchar.

– Não tenho o menor interesse em pechinchar – rebato. – Quando quero alguma coisa, faço tudo que for preciso para conseguir.

Uma centelha de divertimento surge no olhar dele ao ouvir meu comentário.

– Meu nome é Russell. – Ele me estende a mão, e quando a seguro um arrepio delicioso sobe pelo meu braço. – Esta é a minha loja, e eu *adoraria* vender essa cômoda hoje para a senhora. Aposto que ficaria ótima na sua casa.

Russell Simonds. Deve ser esse o marido de Marybeth. Por algum motivo, eu esperava um homem com uma barriga de chope e uma imensa careca no topo dos cabelos grisalhos. Não *esse* homem.

– Wendy Garrick. Sua esposa Marybeth trabalha para o meu marido. Foi ela quem sugeriu que eu viesse aqui.

O sorriso brincalhão se demora nos lábios dele.

– Que bom que ela fez isso.

No fim das contas, acabo comprando metade da loja. Toda vez que Russell me fala sobre outro móvel vintage restaurado, eu simplesmente preciso adquirir a peça. Então, quando estou lhe passando meu cartão de crédito com um limite de gastos chocante de tão alto, ele saca seu cartão de visitas, dessa vez impecavelmente novinho e todo branco, e rabisca dez algarismos no verso.

– Qualquer problema com os móveis, é só me avisar – diz ele.

Guardo o cartão na bolsa.

– Com certeza vou fazer isso.

E, enquanto Russell calcula o total das minhas compras, não posso evitar pensar que tem mais uma coisa naquela loja que eu gostaria de levar para casa comigo. E, quando quero alguma coisa, faço tudo que for preciso para conseguir.

CINQUENTA E QUATRO

Passo 5: Tente encontrar a felicidade em outro lugar

Seis meses antes

Talvez eu esteja me apaixonando.

Eu tentei me apaixonar por Douglas. Tentei de verdade. Pensei que acabaria amando meu marido. Pensei que ele fosse mudar, do mesmo jeito que mudei quando me esforcei para melhorar de vida. Douglas não faz ideia de quão maravilhoso ele poderia ser caso se desse ao trabalho de se cuidar, fizesse uma cirurgia plástica ou consertasse aquele dente torto. (Pelo amor de Deus, que multimilionário anda por aí com uma arcada dentária imperfeita? Ele por acaso acha que está na *Inglaterra*?)

Mas Douglas não tem o menor interesse em nenhuma dessas coisas. Não tem o menor interesse em ser o homem que eu quero que ele seja. Douglas só quer ser *ele mesmo*.

Já Russell…

Embora faça seis meses desde que fomos para a cama pela primeira vez, não consigo parar de olhar para o homem do outro lado da mesa. Seus fartos cabelos escuros, cor de chocolate, cortados curtos nas laterais, mas compridos o bastante no alto da cabeça para formar levíssimos cachos, e suas grossas e poderosas sobrancelhas. Nunca descrevi um par de sobrancelhas como "poderosas" na vida, mas esse homem seria capaz de dominar um recinto inteiro com as sobrancelhas que tem. É meu traço preferido nele. Mas, para ser sincera, eu amo tudo em Russell.

Menos a sua conta bancária.

A garçonete chega perto da nossa mesa com um sorriso de orelha a orelha fixo no rosto. Num restaurante caro como esse, o pessoal de salão é sempre gentil. Douglas detesta lugares assim. *Não gosto quando ficam me paparicando demais.*

– Gostariam de uma sobremesa? – pergunta a garçonete. – Temos um bolo de chocolate sem farinha incrível.

– Não, obrigado – responde Russell.

Concordo com um meneio de cabeça. Nós nunca pedimos sobremesa. Assim como eu, Russell se cuida. Vai à academia várias vezes por semana, e seu corpo é todo musculoso e esculpido, só com um tiquinho daquela pancinha inevitável da meia-idade. Pena que Marybeth não saiba valorizar isso. Ela nem se dá ao trabalho de tingir os cabelos loiros; daqui a alguns anos, vai estar toda grisalha.

Russell estende a mão por cima da mesa e segura as minhas. Como estamos em público e somos ambos casados, é um gesto totalmente inadequado. Porém, nas últimas semanas do nosso tórrido caso, nós meio que deixamos a cautela de lado. Parte de mim quase quer ser pega. Porque, pela primeira vez na vida, estou apaixonada.

Se Douglas quiser se divorciar de mim, eu pego meus 10 milhões e sigo meu caminho.

– Queria não ter que voltar pro trabalho – murmura ele.

– Talvez você possa chegar atrasado? – sugiro.

Um sorriso se insinua nos lábios de Russell. Adoro a disposição dele. Douglas já não é mais assim desde pouco depois de nos casarmos, e mesmo antes disso nunca teve a mesma perícia na cama quanto Russell. Ele simplesmente não tinha a mesma energia.

Durante algum tempo, nós reservávamos quartos de hotel para nossos encontros, mas ultimamente é raro Douglas aparecer na nossa cobertura, então apenas tenho levado Russell para lá. O prédio tem uma entrada dos fundos onde tenho certeza de que não existem câmeras, de modo que não precisamos lidar com o olhar de julgamento do porteiro.

– Eu não deveria fazer isso – diz ele. – A loja tem tido bastante movimento.

– Não é pra isso que servem os vendedores?

Russell em geral só tem um outro vendedor trabalhando na loja, embora talvez agora possa contratar um segundo, já que venho praticamente bancando a loja com minhas compras. A bem da verdade, amo todas as lindas peças de antiguidade que comprei lá. Russell tem um gosto impecável. Se ele tivesse dinheiro, realmente saberia como gastar.

– Que tal hoje à noite? – sugere ele.

– Mas e a Marybeth?

Seus lábios se contraem de repulsa, como sempre acontece quando o tema da sua esposa vem à tona. Isso é uma coisa que nos aproximou: nosso desagrado mútuo com nossos cônjuges.

– Falo pra ela que fiquei trabalhando até mais tarde outra vez.

A garçonete volta com a conta, e eu lhe passo meu cartão platinum. Sempre sou eu quem paga quando vamos a restaurantes caros, porque, embora não goste de admitir, Russell vive um pouco apertado de dinheiro. Mas isso não me incomoda. Não gosto dele por causa do dinheiro; no momento, tenho dinheiro de sobra.

– Vou contar os segundos até te encontrar hoje à noite – murmura Russell.

Debaixo da mesa, seus dedos sobem por baixo da minha saia até eu começar a me sentir um pouco ofegante.

– Russell – digo, rindo baixinho. – Aqui não. Tem gente em volta.

– Não consigo me segurar perto de você.

– Russell...

Meu prazer com o que meu amante está fazendo debaixo da mesa é interrompido quando a garçonete limpa a garganta com um pigarro. Ela está segurando meu cartão platinum.

– Sinto muito, mas seu cartão não passou. Foi recusado.

Reviro os olhos.

– Deve ser um problema com as máquinas de vocês. Passa de novo, por favor.

– Já tentei três vezes.

Dou um suspiro. Meu Deus, o pessoal que trabalha nesses restaurantes é simpático, mas às vezes é de uma incompetência atroz. Não é de espantar que estejam vivendo de servir mesas em um restaurante. Enfio a mão na bolsa e pego meu Visa.

– Tenta esse aqui.

Só que dali a um minuto a garçonete volta com o segundo cartão.

– Esse também foi recusado – informa ela.

O tom dela não é mais tão gentil quanto quando estava nos servindo. E os clientes das mesas em volta começaram a nos encarar.

Não sei o que está acontecendo. Sou casada com a porcaria do Douglas Garrick. Meu limite de crédito é infinito. Obviamente, deve ser alguma questão com o restaurante, só que ninguém mais parece estar tendo problemas.

– Tente o meu cartão – diz Russell.

Ele tira o cartão da carteira e o entrega.

Enquanto a garçonete se afasta depressa para tentar o novo cartão, eu o encaro com uma expressão de desculpas.

– Sinto muito mesmo por isso. Não sei o que está acontecendo.

– Não tem problema – responde ele, embora não tenha mesmo como bancar um restaurante desses.

Não é o tipo de lugar ao qual teríamos ido se soubéssemos que seria ele quem pagaria a conta. Mas a essa altura não há muita coisa que possamos fazer.

O cartão de crédito de Russell passa sem problemas. Alguma coisa está acontecendo com meus cartões. Será que estamos tendo algum tipo de problema financeiro do qual não estou a par? Pessoas como nós não têm dívidas no cartão. Mas a verdade é que não estou por dentro das nossas finanças. Tenho meus cartões de crédito e uso todos eles sem pensar.

Vou ter que falar com Douglas sobre isso hoje à noite.

CINQUENTA E CINCO

Liguei várias vezes para Douglas, mas ele não está atendendo. Também mandei várias mensagens de texto às quais ele não respondeu.

Não sei o que está acontecendo. Testei meus cartões de crédito em outra loja, e eles foram recusados mais uma vez, de modo que a culpa não foi do restaurante.

Liguei para a operadora do cartão para tentar entender o mistério, e eles me disseram algo chocante: meus cartões foram cancelados. Todos.

Finalmente, decido ir de carro até nossa casa em Long Island para falar com Douglas. Apesar do nosso maravilhoso apartamento em Manhattan cheio de móveis antigos, ele prefere a casa. Diz que gosta da tranquilidade, que dorme melhor sem as buzinas e sirenes constantes da cidade e que aprecia o ar puro. Mas Long Island é insuportavelmente sem graça. Não tem nada para fazer lá, mesmo, e nenhum lugar decente para fazer compras.

Ao chegar, encontro a casa vazia. Então me dou conta de que faz mais de uma semana que não ponho os pés ali, apesar de Douglas dormir quase todas as noites na casa. Suponho que meu marido e eu tenhamos nos distanciado nos últimos tempos. Nós só transamos uma vez por mês, quando estamos tentando engravidar.

A casa pelo menos está limpa; quando entrei pela porta, quase imaginei que fosse encontrar caixas de pizza sujas e meias usadas penduradas no sofá, porque Douglas pode ser meio desleixado. A sala tem um ar.... aconchegante, acho que a palavra seria essa. Douglas se livrou do sofá branco que escolhi e o substituiu por outro azul-escuro com almofadas de aspecto surrado. Eu me sento ali para esperar ele chegar e sou obrigada a admitir que o sofá é confortável, apesar de ser feio de doer.

Só às nove da noite ouço a porta da garagem se abrindo. Eu me endireito no sofá, então resolvo ficar em pé. Esse vai ser o tipo de conversa que se precisa ter em pé. Pressinto que vai.

Douglas entra pelos fundos um minuto depois. Tem os cabelos mais bagunçados do que de costume e olheiras debaixo dos olhos. A gravata pende frouxa ao redor do pescoço, e, ao me ver de pé na sala, ele se detém.

– Você cancelou meus cartões – digo por entre os dentes cerrados.

– Estava me perguntando o que seria preciso pra fazer você vir até aqui.

Por acaso ele acha que isso é algum tipo de brincadeira?

– Eu estava tentando almoçar, e meu cartão foi recusado. Não tive como pagar. Você entende isso?

Douglas entra na sala puxando o resto da gravata para tirá-la.

– Como assim? O Russell não estava com o cartão dele?

Minha boca se escancara.

– Eu...

Ele joga a gravata em cima do sofá.

– Não entendo por que esse espanto todo. Você acha que pode andar pela cidade inteira se pegando com outro cara sem eu descobrir? Acha que pode pagar um quarto de hotel com o meu cartão de crédito e eu não vou ficar sabendo? Você me acha tão burro assim?

– Eu... desculpa.

Meu coração está martelando no peito. Eu nunca ouvi Douglas falar nesse tom, mas parte de mim está contente com o fato de essa conversa estar acontecendo. Cansei de estar casada com Douglas Garrick. Que bom que estamos pondo tudo às claras.

– Não foi minha intenção isso acontecer.

– Ah, me poupe. Essa é a melhor desculpa que você consegue inventar? – Ele me olha com repulsa. – E com o marido da Marybeth? Como você foi capaz de fazer uma coisa dessas, Wendy? A Marybeth é como se fosse da família.

Da família dele, talvez. Eu nunca fui com a cara dela, mesmo antes de ir para a cama com o seu marido. E agora que sei como ela foi a esposa errada para Russell tenho ainda mais antipatia por ela.

– Ela tá sabendo?

Douglas faz que não com a cabeça.

– Não consegui fazer isso com ela. Ela ficaria destruída. – Ele bufa. – Não que você fosse ligar pra isso.

– Douglas, a gente não tem exatamente um casamento perfeito – assinalo. – Você sabe disso tão bem quanto eu.

Meu comentário faz a raiva dele arrefecer. Seus olhos castanhos ficam mais suaves. No fundo, no fundo, meu marido é meio fácil de manipular. Aliás, foi por isso que me casei com ele. Sabia que ele me daria tudo que eu quisesse.

– Acho que a gente deve fazer uma terapia de casal – sugere ele. – Encontrei uma terapeuta muito recomendada. Sei que sou ocupado, mas vou abrir espaço pra isso. Pra gente.

Eu me imagino sentada com Douglas num consultório de uma terapeuta, onde discutiríamos nossos numerosos problemas que, somados, resultam no fato de querermos coisas inteiramente diferentes da vida.

– Não sei...

– Wendy. – Ele se aproxima de mim e segura minha mão. Deixo que faça isso por um instante, sabendo que vou puxar a mão de volta em questão de segundos. – Não quero desistir da gente. Você é minha esposa. E, apesar de a gente estar tendo alguma dificuldade nessa área, quero que seja a mãe dos meus filhos.

Percebo que chegou o momento de abrir o jogo com ele. Preciso arrancar o band-aid, senão talvez nunca me livre do sujeito. E, depois desse tempo todo, ele merece a verdade.

– Na verdade, eu não posso ter filhos.

No fim das contas, ele é o primeiro a retirar a mão.

– Como é que é? Que história é essa?

– Anos atrás, tive uma infecção que destruiu minhas trompas – respondo.

Aconteceu quando eu tinha 21 anos. Senti uma dor horrível no baixo-ventre, e os médicos depois explicaram que a infecção ficou assintomática até se espalhar pelas minhas tubas uterinas. A dor foi tão forte que tive que fazer uma laparoscopia para retirar parte do tecido cicatrizado, e foi então que me disseram que eu nunca conseguiria ter um filho por vias naturais. Existe uma pequena chance de conseguir engravidar por meio da tecnologia reprodutiva, mas até isso é extremamente improvável, considerando a extensão das cicatrizes.

Foi devastador ouvir isso naquele momento. Na época, amaldiçoei minha sorte. Embora tivesse crescido pobre, ainda sonhava com um dia encher a casa de crianças, como meus pais tinham feito. Chorei por 24 horas seguidas quando recebi a notícia.

Porém, com o passar dos anos, descobri que aquilo era uma bênção. Vi muitas amigas ficarem presas depois de terem filhos e notei como isso suga a conta bancária da pessoa. Eu me dei conta de que tinha sorte por nunca poder ser mãe. Na verdade, a tal infecção foi a melhor coisa que já me aconteceu.

Douglas está balançando a cabeça.

– Não tô entendendo. Você tá me dizendo que sabia desde o começo que não podia engravidar?

– Exato.

Ele se deixa cair no sofá confortável com um olhar vidrado.

– A gente tá tentando há anos. Você nunca disse nada. Não acredito que tenha mentido pra mim desse jeito.

Eu o deixei chateado, mas é melhor assim. Como falei, o band-aid precisava ser arrancado.

– Eu sabia que não era o que você queria escutar.

Ele ergue o rosto para mim com os olhos marejados.

– Bom, e adotar? Ou então…

Ai, meu Deus, a última coisa que eu quero é ter que cuidar dos pirralhos de outra pessoa.

– Douglas, eu não quero ter filhos. Nunca quis. O que eu quero é sair desse casamento.

– Mas…

Seu lábio inferior treme. Ele continua com aquela papada. Durante todo o nosso casamento, não avancei nada em relação a ajudá-lo a se livrar dela. Pensava que ele fosse uma obra em andamento, mas nunca fiz nenhum progresso real.

– Wendy, eu te amo. Você não me ama?

– Não mais – respondo. É mais gentil do que dizer que nunca amei. – Não quero mais ficar com você. Não te respeito, e nós dois queremos coisas diferentes. É melhor cada um seguir seu caminho.

Quando eu tiver meus 10 milhões de dólares, não vou ter mais que me preocupar se ele cancelou a porcaria do meu cartão. Vou ser independente. Russell vai poder largar a esposa dele, e nós dois poderemos fazer o que quisermos.

– Tá bom. – Douglas se levanta com esforço. – Você quer sair desse casamento? Então tá. Só que não vai levar nem um centavo do meu dinheiro.

Infelizmente, quem decide isso não é ele. Ele quer me punir, mas conheço meus direitos.

– O acordo pré-nupcial me dá 10 milhões de dólares. Não vou pedir mais do que isso.

– Certo. – O olhar perdido desapareceu de seus olhos castanhos, que agora se tornaram aguçados e concentrados no meu rosto feito um raio laser. – Você recebe 10 milhões em caso de divórcio. Mas o acordo diz que se eu tiver provas de que me traiu, você não recebe nada.

Recordo o documento que Joe me entregou antes do casamento. Cheguei a cogitar mostrá-lo para um advogado, mas podia ver escrito em preto no branco que eu levaria 10 milhões em caso de divórcio. Não quis gastar milhares de dólares contratando um advogado.

– Eu te mostro com prazer qual cláusula diz isso. – Um sorriso ameaça surgir nos seus lábios. –Tá bem na página 178. Não sei como você pôde ter deixado passar.

Meus punhos se cerram.

– O Joe me enganou. Ele sempre fez questão de fazer você desconfiar de mim.

– Não, o acordo pré-nupcial foi ideia minha. A cláusula sobre infidelidade também. – Douglas abre o botão de cima do colarinho. – Falei pra ele fingir que a ideia tinha sido dele, assim você não ficaria brava comigo. Queria que você confiasse em mim. Embora eu não confiasse em você.

Encaro meu marido enquanto sinto minha fúria aumentar.

– Você não pode simplesmente inserir uma cláusula sem me dizer nada. Isso... isso é me enganar.

As sobrancelhas dele se erguem.

– Ah, tipo como quando você não me falou que não podia engravidar?

Sinto uma pressão no peito. Ficou um pouco difícil respirar. Douglas sempre disse o quanto o ar aqui é mais puro, mas eu nem reparo.

– Tá. Mas boa sorte pra provar que eu fui infiel.

Embora isso vá ser uma tortura, vou ter que passar um tempo sem poder me encontrar com Russell. Não posso dar a Douglas nenhuma chance de provar minha infidelidade.

– Ah, não se preocupe. Eu já tenho fotos, vídeos... tudo que você quiser.

Dou um arquejo.

– Você contratou um detetive pra me espionar?

Ele me fulmina com olhos cheios de ódio.

– Tudo que precisei fazer foi instalar algumas câmeras escondidas no nosso próprio apartamento. Sutil, não?

Droga. Nós nunca deveríamos ter sido tão descuidados. Se eu ao menos soubesse...

– Talvez você consiga recuperar seu emprego antigo – diz Douglas com um ar pensativo. – O que você fazia, mesmo? Não trabalhava atrás de um balcão qualquer na Macy's? Parece bem divertido.

Eu odeio esse homem. Tive vários sentimentos por ele ao longo dos três últimos anos, mas nunca senti esse tipo de ódio por ninguém na vida. Pois é, não fui totalmente sincera com ele. Mas me deixar sem um tostão? Ele é mesmo uma pessoa sádica.

– Então eu não me divorcio de você – retruco. – Não assino os documentos. Você não vai me tirar da sua vida.

– Tudo bem – responde ele com uma calma enlouquecedora. – Mas você não vai recuperar seus cartões. E todas as contas bancárias estão no meu nome... vou cortar seu acesso ao dinheiro.

Eu não sabia que Douglas tinha esse lado. Mas imagino que ninguém vire CEO de uma empresa tão grande sem ter algum colhão.

– Pode ficar na cobertura – acrescenta ele. – Por enquanto. Mas daqui a alguns meses, vou pôr aquilo lá à venda. Aí você pode decidir o que vai querer fazer.

Com essas palavras, ele me dá as costas e sai da sala. Sua gravata continua jogada no sofá, e parte de mim se sente tentada a pegá-la, passá-la em volta do seu pescoço e esganá-lo.

É claro que não faço isso, mas a ideia é extremamente sedutora.

Porque, se Douglas se divorciar de mim com provas do meu adultério, eu fico sem nada. Mas, se ele morrer, segundo o seu testamento, eu fico com tudo.

CINQUENTA E SEIS

Passo 6: Dê um jeito de transformar seu marido num homem que merece morrer

Quatro meses antes

– O Douglas está ameaçando pôr a cobertura à venda em breve – digo a Russell. – Não sei o que fazer.

Estamos deitados juntos na gigantesca cama king size da suíte master. Como eu estava apavorada por voltar à cobertura depois de ter descoberto sobre as câmeras instaladas por Douglas, contratei um especialista para encontrá-las e desativá-las. Sair dali não era uma alternativa; afinal, o apartamento é tão meu quanto de Douglas. Fui eu que escolhi essa cama, embora provavelmente possa contar nos dedos quantas vezes Douglas dormiu nela. Ele nunca gostou da cobertura. Russell, por outro lado, é completamente apaixonado pelo lugar. Gosta tanto daqui quanto eu.

Mas, mesmo se eu receber 10 milhões de dólares, não vou ter como ficar morando aqui. E, sem o dinheiro, isso aqui é um sonho delirante.

– Ele não vai fazer isso. – Russell corre os dedos pela minha barriga nua. – Se ele vender este apartamento, você vai ter que ir morar com ele. E isso ele não quer.

Minha vontade é jogar as mãos para o alto.

– Quem é que sabe o que ele quer? Ele só tá tentando me punir.

Aquela mentira toda sobre eu ter tentado engravidar obviamente foi a gota d'água para ele. Ele quer que eu sofra pelos meus pecados.

– Mas o que eu posso fazer? – insisto.

– Você poderia se divorciar dele mesmo assim – responde Russell. – E ficar comigo. Eu largo a Marybeth.

– Mas a gente vai ficar na miséria!

– Não vai, não. – Ele parece se ofender com essa sugestão. – Eu tenho a minha loja. E você também poderia achar alguma coisa. Não vamos ficar na miséria.

Às vezes sinto que Russell e eu somos feitos um para o outro, mas em outras ocasiões ele diz coisas assim.

Por enquanto, estou esperando para ver o que acontece. Depois que Douglas e eu nos separarmos, vai ser isso e pronto: não terei direito algum sobre o patrimônio dele. Então, todos os dias cruzo os dedos para quando ele estiver andando na rua ser atropelado por um ônibus. Isso acontece o tempo inteiro na cidade. Por que não pode acontecer com meu marido, só dessa vez?

– Quem dera ele morresse – comento. – Com a quantidade de comida gordurosa que come, seria de se esperar que fosse morrer de infarto.

– Ele tem só 42 anos.

– Homens morrem do coração o tempo inteiro nessa idade – assinalo. – O Douglas inclusive toma remédio para o coração. Poderia acontecer.

– Torcer para o Douglas infartar não é um bom plano para o futuro.

Russell pelo visto não gosta tanto quanto eu de fantasiar sobre a morte de Douglas. Mas é só porque não o conhece como eu.

– Deve ter um jeito de sair dessa situação do acordo – observo. – O Douglas está sendo sádico e babaca, e tem que pagar pela forma como vem me tratando. Deveria haver um jeito de punir os maridos que tratam suas mulheres assim. Cortar meu dinheiro e ameaçar tirar minha casa... Isso é praticamente, sei lá, abuso.

Quando digo essas palavras, alguma coisa se agita no fundo da minha mente. Uma história que minha amiga Audrey me contou séculos atrás. Sobre alguma espécie de faxineira que defendia mulheres maltratadas pelos maridos.

Ela é barra-pesada, pode acreditar... Se ela achar que um cara está machucando uma mulher, é capaz de praticamente qualquer coisa para fazer ele parar.

Fecho os olhos e tento me lembrar do nome da mulher. Então o nome vem: Millie.

Douglas não é horrível do mesmo jeito que o marido de Ginger; ele não me agride fisicamente. Mas, mesmo assim, é perverso e manipulador. O abuso não precisa ser necessariamente só físico: o fato de o meu marido me expulsar de casa e me deixar sem um tostão não é tão abusivo quanto quebrar um osso?

Será que essa tal faxineira iria concordar? Não sei. Ela talvez precise de um empurrãozinho.

Mas… mas e se ela visse um homem me tratando muito mal e acreditasse que ele fosse meu marido? É claro que não poderia ser Douglas, porque ele está me evitando a todo custo. E Douglas jamais encostaria um dedo em mim, mesmo que eu o provocasse. Mas essa tal de Millie não sabe quem é o meu marido. Douglas apagou meticulosamente da internet todas as fotos de si mesmo. Se Millie visse um homem batendo em mim, ficaria motivada a me ajudar. Se o que ele fizesse fosse ruim o bastante, eu nem sequer conseguiria impedi-la.

Aos poucos, um plano está se formando na minha mente.

CINQUENTA E SETE

Algumas semanas antes

Quando me olho no espelho, quase solto um grito.

Meu rosto parece um pesadelo de hematomas roxos surgindo misturados a outros já um pouco amarelados. Dói só de olhar. Russell me observa dar os retoques finais na maçã do rosto e parece impressionado.

– Wendy, você é uma verdadeira maga – elogia ele. – Parece de verdade.

Passei horas treinando. Assisti a vários vídeos no YouTube, e hoje sou uma das maiores especialistas do mundo na criação de hematomas de aspecto realista. Realmente parece que alguém me deu uma surra daquelas.

Tomara que Millie saiba valorizar o trabalho que esta obra-prima exigiu.

Ela parece estar em grande parte realmente acreditando na nossa pequena farsa. E, tirando isso, é uma excelente cozinheira e faxineira. Conseguiu até encontrar para mim cidra-mão-de-buda, que eu adoro. É uma pena o que vai acontecer com ela. Mas não tem outro jeito.

– Está quase perfeito – digo enquanto guardo meu estojo de maquiagem. – Só falta uma coisa.

Russell ergue uma sobrancelha. Ele vem desempenhando perfeitamente o papel de Douglas desde que Millie chegou. É incrível: quando se combina a aparência e a personalidade de Russell com a riqueza e o poder de Douglas, de fato o resultado é o homem ideal.

– Sério? Pra mim parece perfeito.

Inspeciono outra vez meu rosto no espelho. Perfeito não é bom o suficiente. É preciso que fique mais do que perfeito. Se Millie desconfiar por um segundo sequer que isso no meu rosto é maquiagem, está tudo acabado. Tem que ficar impecável.

– Você tem que me dar um soco.

Russell joga a cabeça para trás e dá uma gargalhada.

– Tá. Muito engraçado.

– É sério. Preciso que você machuque a minha boca. Tem que ficar parecendo de verdade.

O sorriso no rosto de Russell desaparece aos poucos quando ele percebe que estou falando cem por cento sério.

– Como é que é?

– Ela não pode desconfiar que isso é maquiagem – insisto. – E não consigo forjar um lábio rasgado com o material que tenho aqui. Você tem que me dar um soco.

Russell me lança um olhar horrorizado enquanto recua para se afastar de mim.

– Eu não vou te dar um soco na cara.

– Não precisa se sentir mal. Sou eu que estou dizendo pra você fazer isso.

– Eu nunca bati em mulher na vida.

Ele parece levemente enojado. Isso me faz pensar se terá coragem de ir até o fim com o nosso plano. Ele vai ter que fazer coisas bem piores do que me dar um soco na cara antes de essa história acabar.

– Wendy, eu não vou te bater – repete ele.

– Você tem que fazer isso.

– Não vou. Não consigo.

Fico tão frustrada que seria capaz de gritar. Ele por acaso acha que isso é uma brincadeira? Tenho umas poucas economias que guardei para uma emergência na minha conta bancária pessoal, mais algum dinheiro que ganhei vendendo joias e roupas. Mas tenho usado esse dinheiro para viver e para pagar o salário de Millie – um salário extremamente generoso, por sinal. Agora gastei uma boa parte para comprar um vestido que a polícia vai acabar desconfiando ter sido um presente de Douglas para Millie, assim como uma pulseira gravada caríssima. E, claro, enchi o armário com materiais de limpeza que comprei alegando sofrer de graves alergias, mas que na

214

realidade adquiri para o porteiro não ver Millie carregando para lá e para cá frascos de produtos para limpar o chão e cera para móveis.

Em todo caso, o dinheiro não vai durar muito. Preciso acabar com isso… e logo.

Preciso que ele me dê um soco.

– Você é patético – falo com desprezo. – Não estou acreditando que seja incapaz de fazer essa coisinha de nada por mim. A gente tá diante da chance de ficarmos riquíssimos, e lá vem você pondo tudo a perder.

– Wendy…

Dou uma risadinha de sarcasmo para ele.

– Não é de espantar que esteja com 40 e poucos anos e não passe de um vendedor de móveis. Patético.

– Wendy, chega – diz Russell entredentes.

Seu punho direito se fecha. Ele é sensível em relação à carreira. Sei que é. Sempre sonhou em ser um empresário de sucesso, e ser gerente de uma loja de móveis antigos em dificuldades está muito distante desse sonho. Eu poderia ajudá-lo a fazer muito mais… poderia transformá-lo no homem que ele quer ser. No homem que ele merece ser.

Ele só precisa me bater.

– Você é um fracassado mesmo – continuo. – O que vai fazer quando a loja falir? Arrumar um emprego no McDonald's fritando batata?

– Chega! Para com isso!

– Você quer que eu pare? Então me bate!

Antes mesmo de eu me dar conta do que está acontecendo, uma explosão de dor toma conta do lado esquerdo do meu rosto. Dou um arquejo, cambaleio para trás e me seguro no porta-toalhas. Por alguns segundos, vejo estrelas.

– Wendy! – O grito angustiado de Russell me tira da névoa. – Meu Deus. Desculpa!

Ele parece prestes a chorar, mas não está tão mal quanto o meu rosto. Meu Deus, ele bateu com força mesmo. Eu não tinha certeza se seria capaz. Toco meu rosto e me dou conta de que está escorrendo sangue do meu nariz.

– Você está sangrando – diz ele com um arquejo.

Ele foi pegar algumas folhas de papel-toalha para mim, e faço o possível para estancar o sangue que escorre do meu nariz. Alguns minutos depois, o sangramento parece parar. Bom, quase totalmente.

Quando ergo os olhos para Russell, suas grossas sobrancelhas estão franzidas perto uma da outra.

– Você tá bem? Me desculpa.

O banheiro está uma tragédia. Meu sangue pingou pelo chão inteiro. E na borda da pia tem a marca de uma mão desenhada em sangue, no ponto onde me segurei quando estava desesperada, tentando fazer meu nariz parar de sangrar.

Ai, meu Deus, ficou perfeito.

CINQUENTA E OITO

Passo 7: Mate o desgraçado

A noite em que Douglas foi assassinado

As engrenagens giram com dificuldade no elevador. Douglas está chegando em casa.

É agora. Foi para isso que passamos vários meses nos preparando. Millie saiu do apartamento uma hora atrás, tremendo e convencida de que tinha acabado de assassinar meu marido. A polícia vai interrogá-la. Ela não vai aguentar e vai confessar o que fez. E eu plantei com todo o cuidado indícios para convencê-los de que ela fez o que fez porque estava tendo um caso com Douglas. Não posso me dar ao luxo de me envolver.

Agora só falta uma peça do quebra-cabeça. Precisamos matar Douglas de verdade dessa vez.

Russell está esperando na cozinha, segurando a arma que Millie acabou de usar para alvejá-lo com uma bala de festim, só que dessa vez carregada com balas de verdade. Ele está pronto.

As portas do elevador se abrem, e sigo o corredor para ir cumprimentar meu marido uma última vez. Então me detenho, espantada com sua aparência. Ele emagreceu desde a última vez que o vi, e há círculos roxos inchados logo abaixo dos olhos. O queixo está coberto por uma barba por fazer de no mínimo dois dias.

– Você está com uma cara horrível – deixo escapar.

Douglas ergue os olhos num movimento brusco.

– Que bom te ver também, Wendy.

– Quer dizer... – Afasto do rosto uma mecha. Retirei cuidadosamente toda a maquiagem dos hematomas do meu rosto depois de Millie sair. – Quer dizer... você parece cansado.

Ele deixa escapar um suspiro longo e torturado.

– Estou trabalhando dia e noite numa nova atualização do software. Aí você me liga e me implora pra vir aqui praticamente de madrugada.

– Você trouxe?

Douglas ergue a pasta de couro surrada que sempre carrega consigo.

– Estou com a documentação do divórcio bem aqui. Espero que esteja pronta pra assinar.

Não exatamente. Mas isso ele não precisa saber.

Conduzo Douglas até a sala. Meu corpo fica tenso enquanto espero Russell surgir da cozinha e dar um tiro à queima-roupa no peito do meu marido. O combinado era ele fazer isso assim que entrássemos na sala. O combinado era ser... agora.

Que droga.

Douglas consegue percorrer todo o caminho até nosso sofá de canto sem ser assassinado pelo meu amante. Fico bem decepcionada. Ele afunda no meio das almofadas e coloca a pasta em cima da mesa de centro.

– Vamos acabar logo com isso – resmunga ele.

Não, ainda não. Eu não o fiz vir aqui para assinar a documentação do divórcio. Isso é o oposto do motivo para chamá-lo até aqui. Só que Russell não está aparecendo. Eu não o vejo em lugar algum e não o ouço. O que está acontecendo?

– Posso pegar alguma coisa pra você beber? – pergunto. Como Douglas parece prestes a recusar, emendo depressa: – Vou buscar uma água.

Antes que ele consiga protestar, vou depressa até a cozinha, deixando-o no sofá da sala com a documentação do divórcio. Estou absolutamente uma fera neste momento. Até agora, tudo correu exatamente como eu tinha planejado. Só tem mais uma coisa que precisa acontecer. Russell precisa matar Douglas.

Só que, quando chego na cozinha, Russell está encolhido num canto. A arma está em cima da bancada, e ele parece estar tendo um ataque de pânico.

Está agarrado à bancada com suas luvas de couro, com a respiração acelerada e o rosto branco feito cera.

– Russell! – sibilo para ele. – Que diabos você está esperando?

Ele tem sido extremamente difícil hoje à noite. Antes mesmo de Millie chegar, já estava ameaçando pular fora, enumerando toda uma lista de empecilhos. Tem certeza de que é seguro levar um tiro de festim? Não foi disso que o Brandon Lee morreu? E se em vez disso ela me esfaquear?

Consegui afinal que ele fosse até o fim com a cena em que fingia me esganar. E, depois de Millie lhe dar um tiro de festim e ele não morrer, pensei que o obstáculo estivesse superado; a parte mais difícil já tinha passado. Só que ele agora parece estar tendo dificuldade para pôr o ar para dentro dos pulmões.

– Eu não consigo – diz ele, engolindo em seco. Sua testa está suada, e as grossas sobrancelhas se fundiram no centro da testa. – Wendy, eu não posso atirar nele. Por favor, não me obrigue a fazer isso.

Será que ele está brincando? Passamos meses organizando isso tudo. Tivemos todo o cuidado de sempre entrar pelos fundos e preparar a cena do jeito certo. Eu mal saio de casa porque não posso correr o risco de esbarrar com Millie, e tenho dedicado toda a minha energia para fazer parecer que Douglas continua morando aqui. Cheguei a comprar uma porção de roupas masculinas que ela pudesse lavar. (Embora, no primeiro dia, tenha sido bem burra e esquecido de desdobrar as peças. Tenho certeza de que ela nos achou um bando de psicopatas que dobram a roupa suja.) Gastei muito tempo e energia montando essa situação toda.

E agora ele está aqui, prestes a pôr tudo a perder.

– Você é absolutamente ridículo. – Cerro os dentes. – Qual é o seu problema? Era esse o plano desde o começo! É assim que a gente vai conseguir tudo que quer.

– Eu não quero isso! – A voz dele é um sussurro urgente. – Só quero ficar com você. E a gente ainda pode ficar junto. – Ele atravessa a cozinha e tenta me enlaçar pela cintura. – Escuta, a gente não precisa fazer isso. Podemos ir embora agora. Você larga o Douglas, eu largo a Marybeth, e a gente fica junto. Não precisamos matar ele.

– Só que nesse caso a gente não vai ter nada.

Eu me desvencilho do seu abraço, furiosa com ele. Achei que Russell quisesse as mesmas coisas que eu, mas agora não tenho tanta certeza. Porque, se ele quisesse, o meu marido estaria com uma bala no peito neste exato momento.

– Russell, esse é o único jeito.

– Eu não quero fazer isso. – Ele está choramingando agora. – Wendy, não quero matar ele. Por favor, não me obrigue a fazer isso. Por favor.

Ai, meu Deus.

Já passei tempo demais na cozinha. Douglas vai começar a estranhar por que estou demorando tanto e vir investigar. Ou então talvez até ouça Russell entrando em pânico. Não tenho tempo para fazer um discurso motivacional para Russell. Preciso cuidar disso eu mesma.

Pego debaixo da pia um par de luvas de borracha descartáveis que Millie usa quando limpa a cozinha. Coloco as luvas, em seguida sirvo um último copo d'água para o meu marido. Pego a arma, mas, após hesitar um pouco, eu a enfio no bolso do cardigã. Os bolsos são grandes, e a arma cabe direitinho; é como se, quando o vesti, já soubesse que teria que fazer isso porque Russell iria amarelar e quase pôr tudo a perder.

Quando volto para a sala, Douglas está sentado no sofá, folheando a pilha de papéis que é o nosso acordo de divórcio. Ele vem me pedindo para assinar isso há muito tempo, e sigo recusando. Sabia que aceitar assinar o faria vir até aqui.

Com a mão livre, sinto a arma no bolso do cardigã. Ela é pesada e está esticando de leve o tecido. Não há motivo para esperar. Eu poderia sacá-la agora mesmo e lhe dar um tiro. Mas não. Preciso estar de frente para ele. Para ficar parecendo que Millie lhe deu um tiro de frente.

Além disso, parte de mim quer ver sua cara quando eu fizer isso. Para ele entender as consequências de se meter comigo. Ele tentou tirar tudo de mim e me deixar na miséria, e agora vai receber o que merece.

Ponho rapidamente o copo d'água em cima da mesa antes de ele conseguir reparar que estou usando luvas de borracha, em seguida torno a enfiar as mãos nos bolsos. Foi Millie quem guardou a louça pela última vez, então suas impressões digitais vão estar espalhadas por todo o vidro. É perfeito demais.

– Tenho uma caneta aqui em algum lugar – resmunga Douglas enquanto revira o interior da sua velha pasta de couro. Depois de um instante, ele puxa uma caneta esferográfica. – Aqui está.

– Então tá. – Meus dedos estão fechados ao redor do revólver no meu bolso. – Vamos acabar com isso, como você mesmo disse.

Douglas começa a me estender os papéis, mas então para. Seus ombros afundam.

– Wendy, eu não quero que seja desse jeito.

Franzo o cenho para ele.

– Como assim?

– Quer dizer... – Ele joga os papéis do divórcio em cima da mesa de centro. – Wendy, eu te amo. Não quero me separar... isso tem me angustiado muito. Não me importo com o que aconteceu no passado... Eu queria começar de novo. Só nós dois.

Há uma expressão esperançosa no seu rosto. Devo admitir que a ideia é sedutora. Por mais que tenhamos planejado os acontecimentos desta noite, não há garantia nenhuma de que Russell e eu vamos conseguir nos safar depois de cometer assassinato. Meu plano original era passar a vida inteira com Douglas, e embora não tenha conseguido moldá-lo para torná-lo o que eu queria, ele não é de todo horrível. E, acima de tudo, vamos ter uma quantidade de dinheiro inimaginável. É possível ser feliz com qualquer um quando se tem dinheiro suficiente.

– Pode ser... – digo.

Um sorriso surge nos lábios dele, e os círculos roxos sob seus olhos clareiam um pouco.

– Eu queria muito. Queria recomeçar tudo do zero.

– De que forma?

– Em primeiro lugar, quero me livrar disso tudo. – Ele corre os olhos por nosso espaçoso apartamento. – A gente não precisa desse lugar gigante nem daquela casa imensa em Long Island se vamos ser só nós dois. É coisa demais. – Ele sorri, constrangido. – Falei com Joe sobre criar uma instituição de caridade com a maior parte do meu dinheiro. Principalmente se não vamos ter filhos, tem muita coisa boa que podemos fazer com essa grana toda... Deus sabe muito bem que a gente não precisa de tanto. Quem sabe você possa fazer parte da fundação? A gente poderia fazer isso juntos.

Por acaso ele enlouqueceu de vez? Como poderia por um segundo sequer pensar que é isso que eu quero?

– Douglas, eu não quero isso. Quero voltar para nossa vida do jeito que era antes.

– Mas você não estava feliz antes. – A expressão dele fica sombria. – Você me traiu. A gente estava desconectado por completo um do outro.

Trinco os dentes.

– Então você acha que ser pobre vai fazer a gente feliz?

– Não, mas... – Ele esfrega as mãos nos joelhos. – Olha, a gente não vai ser pobre. Só não vai ser mais trilhardário. E não vejo nada de errado nisso. Como eu disse, nem sei por que a gente precisa desse dinheiro todo. Eu nem quero tudo isso!

E é por esse motivo que Douglas e eu jamais vamos ser felizes juntos. Ele simplesmente não entende. Não sabe como é ouvir as outras garotas rirem da sua cara e perguntarem se você achou seu casaco no lixo. Não sabe o que é seu pai sofrer uma lesão nas costas e passar a viver de auxílio-doença, mas o dinheiro não ser nem suficiente para pagar a conta de luz, e de tanto em tanto tempo ser preciso fazer tudo no escuro com lanternas. E, apesar de suas irmãs se comportarem como se isso fosse uma aventura, não é. Não é uma aventura. Isso é ser miserável e não ter onde cair morto.

Douglas não entende isso. Ele nunca vai entender. Nós finalmente temos o dinheiro que eu sonhava ter enquanto fazia o dever de casa à luz de uma lanterna, e ele simplesmente quer doar tudo! Isso me deixa com tanta raiva que minha vontade é estender minhas próprias mãos e esganá-lo do mesmo jeito que Russell fingiu me esganar mais cedo, só que dessa vez de verdade.

Só que não preciso esganá-lo.

Tenho uma arma no bolso.

Saco o revólver, e com a mão surpreendentemente firme, aponto para o peito do meu marido. Seus olhos levemente avermelhados se arregalam. Ele sabia que as coisas estavam ruins, mas não tinha ideia do quanto.

– Wendy – diz ele com a voz aguda. – O que você tá fazendo?

– Eu acho que você sabe.

Douglas encara o cano do revólver, e seu corpo parece encolher. Ele balança a cabeça de modo quase imperceptível. Eu teria imaginado que talvez fosse implorar pela própria vida, mas ele não faz isso. Seus olhos exibem uma expressão resignada.

– Você algum dia me amou de verdade? – pergunta ele por fim.

A resposta a essa pergunta iria magoá-lo. Apesar de tudo, não quero destruí-lo em seus últimos instantes de vida. Por isso, respondo apenas:

– A questão não é essa.

Nunca disparei uma arma antes, mas o ato sempre me pareceu autoexplicativo. Pensava que quem fosse fazer isso seria Russell, mas, como ele continua encolhido na cozinha, agora cabe a mim.

O tiro soa bem mais alto do que pensei que seria, uma pancada forte que parece ficar reverberando pela sala muito depois de a arma ter disparado. A força do tiro percorre meus braços, chega até o ombro e faz meu pescoço e minha cabeça ricochetearem para trás. Mas mantenho as mãos firmes.

A bala acerta Douglas bem no meio do peito. É um tiro certeiro, principalmente para minha primeira vez. Por um ou dois segundos antes de morrer, ele baixa os olhos para o sangue que se espalha rapidamente pela sua camisa branca e registra o que está prestes a acontecer. Mas a cor então se esvai do seu rosto, e ele desaba no sofá. Os olhos continuam levemente entreabertos, revirados nas órbitas, e seu peito está imóvel.

– Eu sinto muito – sussurro. – De verdade. Queria que a gente tivesse conseguido fazer dar certo.

Meus ouvidos ainda estão apitando quando Russell entra correndo na sala. A primeira coisa que ele faz é tapar a boca com a mão, e tudo em que consigo pensar é: tomara que ele não vomite o chão todo. Isso realmente estragaria as coisas quando a polícia chegasse.

– Você atirou – diz ele com um arquejo. – Não acredito que você fez isso mesmo.

– É. – Eu me levanto do sofá e largo o revólver em cima da mesa de centro. Tiro as luvas de borracha. – E se você não quiser ir preso, sugiro sair daqui agora mesmo.

Russell ainda parece estar tentando controlar a própria respiração.

– Acha mesmo que vai conseguir pôr a culpa toda na Millie?

– Você vai ver só.

PARTE III

CINQUENTA E NOVE
MILLIE ·

Minha cabeça não para de rodar.

Desligo a televisão e fecho os olhos por um instante. Faz apenas um dia que matei um homem com um tiro numa cobertura no Upper West Side, mas o que acabo de ver mudou tudo.

Tento visualizar Douglas Garrick. Posso ver com clareza seus cabelos penteados para trás com gel, os olhos castanhos bem afundados nas órbitas, as maçãs do rosto saltadas. E, nos últimos meses, eu o vi inúmeras vezes. E aquele homem na reportagem da TV não era ele.

Pelo menos, não acho que fosse.

Tiro o celular do bolso e abro o navegador de internet. Já pesquisei Douglas Garrick antes, e sempre vinham matérias sobre o cargo dele de CEO na Coinstock, mas nunca nenhuma foto. Mas agora a tela é preenchida por dezenas de links, e posso clicar em cada um deles para abrir aquela mesma imagem do rosto de Douglas Garrick.

Fico estudando a fotografia na tela do meu celular. Esse homem tem uma vaga semelhança com aquele que conheço, mas não é ele. O homem da fotografia tem no mínimo dez ou quinze quilos a mais do que o que eu conheci, e aquele incisivo esquerdo torto também é diferente. Todos os traços são ligeiramente distintos: o nariz, a boca, a leve papada. Embora eu suponha que algumas pessoas saiam diferentes nas fotos em comparação com a vida real. Talvez a foto tenha sido muito editada, sei lá.

Vai ver é a mesma pessoa, sim. Tem que ser, não? Porque, caso contrário, nada disso faz o menor sentido.

Ai, meu Deus, tenho a sensação de estar enlouquecendo.

Talvez esteja mesmo. Talvez eu venha tendo um caso com Douglas Garrick. Quer dizer, aquele investigador com certeza parecia ter muitas provas. E, pelo visto, Wendy Garrick disse que era verdade.

Só que não passei a noite naquele hotel com Douglas (ou quem quer que fosse o homem que eu conhecia como Douglas). E posso provar isso. Porque voltei para Manhattan depois de deixar Wendy lá. E tenho uma testemunha.

Enzo Accardi.

Venho relutando em recorrer a Enzo, mas não tenho outra escolha. Meu namorado me abandonou, o que não foi de todo uma surpresa, mas mesmo assim partiu meu coração. Nos últimos quatro anos, tenho sido péssima em me aproximar das pessoas porque morro de medo do que elas vão pensar quando descobrirem sobre o meu passado. E eu estava certa. No segundo em que ficou sabendo sobre minha passagem pela prisão, Brock foi embora. Então, aqui estou, sem ninguém para me defender. Ninguém que acredite em mim.

A não ser Enzo. Ele vai acreditar em mim.

E, se não acreditar, é aí que vou saber que estou mesmo em apuros.

Acho o nome de Enzo nos meus contatos, à minha espera, como sempre. Hesito por uma fração de segundo, então clico no nome dele.

O telefone praticamente nem toca antes de ele atender. Quase começo a chorar ao ouvir sua voz tão familiar.

– Millie?

– Enzo – consigo dizer. – Estou muito encrencada.

– É. Eu vi as notícias. Seu patrão morreu.

– Então, ahn… – Dou uma tossida dentro da mão fechada. – Será que teria como você vir aqui?

– Me dá cinco minutos.

SESSENTA

Quatro minutos depois, estou abrindo a porta para Enzo.

– Obrigada – digo quando ele entra no meu pequeno apartamento. – Eu... eu não sabia pra quem mais ligar.

– O Brócolis não tá aqui pra ajudar? – zomba ele.

Baixo os olhos.

– Não. A gente terminou.

A expressão dele se desfaz.

– Sinto muito. Sei que você gostava do Brócolis.

Gostava mesmo? É, gostava, mas a verdade era que toda vez que ele dizia que me amava, aquilo me dava arrepios. Não é isso que se deveria sentir por um parceiro. Brock era praticamente perfeito, mas eu jamais poderia me apaixonar totalmente por ele; a coisa parecia sempre temporária. Tenho certeza de que ele vai fazer alguma outra mulher muito feliz, mas essa mulher jamais seria eu.

– Tá tudo bem – digo por fim. – Estou com problemas maiores no momento.

Enzo me segue apartamento adentro, e nos sentamos juntos no futon surrado. Quando ele e eu morávamos juntos, nosso sofá era só um pouco melhor do que esse. Mas tive que largar o apartamento depois que ele não ficou mais disponível para pagar sua metade do aluguel e, como não consegui arrumar um jeito de transportar o sofá, eu o deixei lá. Mas tento não pensar nisso agora. De nada adianta ficar com raiva de Enzo quando ele está tentando me ajudar.

– A polícia está dizendo todo tipo de coisa maluca a meu respeito – conto para ele. – A Wendy falou pra eles que eu estava tendo um caso com o Douglas. Não faz o menor sentido, mas eles deturparam um monte de coisa que aconteceu pra fazer parecer que eu estava indo lá dormir com ele.

Enzo aquiesce devagar.

– Eu disse que essa gente era perigosa.

– Você disse que o Douglas Garrick era perigoso.

– Dá no mesmo.

– Não dá, não – retruco. – Na verdade, quando eu estava vendo o jornal na televisão agorinha, me dei conta de uma coisa. O homem que me contratou, que dizia se chamar Douglas Garrick, não é o mesmo homem do noticiário. É uma pessoa totalmente diferente.

Enzo agora está me olhando como se eu tivesse perdido a razão.

– Sei que parece maluquice – reconheço. – Eu ouço as palavras saindo da minha boca e… De novo, sei que é esquisito. Mas era outro cara lá naquele apartamento. Tenho certeza.

Quanto mais penso no assunto, mais certeza tenho. Porém, se aquele não era Douglas, quem era? E onde estava o verdadeiro Douglas enquanto aquele cara estava na casa dele?

Quem é o homem que eu matei?

– Então vou te contar uma coisa interessante – diz Enzo devagar. – Quando você me falou sobre os Garricks, eu fui pesquisar sobre eles. E sabe de uma coisa? A cobertura de Manhattan não está listada como residência principal do casal.

– Como é que é?

– Pois é. Esse apartamento é só um extra. A residência principal deles é uma casa em Long Island. Bom, eles chamam de casa. Deve ser mais uma mansão.

Agora as coisas estão começando a fazer um pouco mais de sentido. Se o verdadeiro Douglas Garrick na verdade morava em Long Island, isso significa que seria fácil para duas outras pessoas fazerem parecer que estavam morando no apartamento de Manhattan. O verdadeiro Douglas Garrick jamais precisaria saber.

– Então você acredita em mim?

Enzo faz uma cara indignada.

– É claro que acredito em você!

– Mas tem uma coisa que você precisa saber. – Seco as mãos suadas na calça jeans. – Na noite em que Douglas foi morto, eu vi... Bom, eu pensei que estivesse vendo ele tentar enforcar a Wendy. Eu vi alguém tentando esganar ela no apartamento. E o homem não queria parar. Então eu peguei o revólver deles e... atirei nele. Pra fazer ele parar.

Nunca fui de chorar muito, mas sinto as torneiras se abrindo pela segunda vez no mesmo dia. Enzo estende a mão para mim, e fico soluçando junto ao seu ombro. Ele passa um tempão me abraçando, me deixando botar tudo pra fora. Quando finalmente me afasto, fica uma mancha úmida na sua camiseta.

– Desculpa, estraguei sua camiseta.

Ele faz pouco-caso, agitando a mão.

– É só um pouco de catarro. Nada de mais.

Baixo os olhos.

– É que não sei o que vou fazer. A polícia acha que matei Douglas Garrick, e mesmo sabendo que não fiz isso, eu atirei em alguém naquela noite. Alguém morreu por minha causa.

– Não necessariamente.

– Mas é claro que morreu!

– Você acha que matou alguém – assinala ele. – Mas, depois de atirar nele, você foi pra casa. Verificou pra ter certeza de que ele estava morto? Sem respirar? Sem pulso?

– Eu... a Wendy disse que ele estava sem pulso.

– E a gente acredita na Wendy?

Eu o encaro, aturdida.

– Enzo, tinha sangue.

– Mas será que era sangue mesmo? Sangue é fácil de imitar.

Franzo o cenho, tentando recordar a noite anterior. Tudo aconteceu muito depressa. A arma disparou, Douglas caiu no chão, e depois apareceu todo aquele sangue se espalhando debaixo do corpo dele. Mas não cheguei a ir lá verificar. Não sou paramédica. Depois de dar um tiro nele, tudo que eu queria era sair de lá o mais depressa que conseguisse.

Será possível nada daquilo ter sido real? E, se não tiver sido...

– Ela me enganou – digo num arquejo. – Ela me enganou direitinho.

Passei o tempo inteiro com pena dela. Tentando protegê-la. Enquanto isso, ela estava dizendo para quem quisesse ouvir que eu estava tendo um caso com o marido dela; com certeza, era por isso que Amber Degraw tinha sorrido para mim ao mencionar Douglas Garrick naquele dia em que topei com ela na rua. Não é de espantar que o porteiro ficasse piscando o olho para mim! E ninguém sabia que eu nunca ficava sozinha com Douglas, porque ele estava usando a entrada dos fundos, onde não tem porteiro nem câmera.

Não, Douglas não. Eu nunca sequer encontrei Douglas Garrick. Não faço ideia de quem seja aquele outro homem.

– Onde fica a casa da Wendy? – pergunto a Enzo. – Preciso falar com ela.

– Você acha que pode ir lá? – Ele balança a cabeça. – Tem um milhão de repórteres em volta da casa dela. E, de toda forma, ela não vai falar com você. Se você for lá, só vai causar mais problemas.

Apesar de saber que ele tem razão, fico muito frustrada. Depois do que ela fez comigo, tudo que eu quero é encará-la bem nos olhos e perguntar por quê. Mas ele tem razão. Nada de bom vai acontecer se eu for até lá.

– O tal sujeito que dizia ser Douglas Garrick... – Enzo coça o queixo. – Você faz alguma ideia de como a gente pode encontrar ele? Esse homem talvez seja mais fácil de acessar do que Wendy Garrick.

– Não. – Cerro os punhos de frustração. – Tudo que eu sei é que o nome dele não é Douglas Garrick. Não faço ideia de quem ele realmente seja.

– Tem alguma foto dele?

– Não, não tenho.

– Pensa, Millie. Deve ter alguma coisa. Talvez algum detalhe característico sobre ele?

– Não. Ele é só um cara branco de meia-idade, genérico.

– Deve ter alguma coisa...

Fecho os olhos e tento trazer de volta uma imagem do homem que dizia ser Douglas Garrick. Não havia absolutamente nada de especial em relação ao sujeito, e talvez por isso Wendy tenha escolhido justo ele. O cara se parece bem o suficiente com o verdadeiro Douglas Garrick.

Mas Enzo tem razão. Deve haver alguma coisa...

– Espera aí. Tem uma coisa sim!

Enzo ergue as sobrancelhas.

– Tem?

– Uma vez, eu vi ele entrar num prédio – recordo. – Ele estava com outra mulher. Uma loira. Achei que fosse uma mulher com quem ele estivesse tendo um caso, e vai ver estava mesmo. Mas... era um prédio residencial. Ou ele mora lá, ou então a mulher mora lá, ou então...

– Isso é bom. – Enzo estala os dedos. – A gente vai até lá e encontra ou ele ou a mulher. Aí vamos descobrir a verdade.

Pela primeira vez desde que o investigador Ramirez estava me interrogando na delegacia, sinto uma centelha de esperança. Talvez haja uma chance de sair dessa situação com minha liberdade intacta.

SESSENTA E UM

Enzo me ajuda a arrumar meu apartamento, já que um furacão parece ter passado por aqui depois da busca da polícia. Felizmente, são só dois cômodos, então, apesar da bagunça, não demora tanto assim. Fico grata sobretudo pela companhia. Seria muito deprimente arrumar tudo isso sozinha.

– Obrigada por fazer isso – digo a Enzo pelo que parece ser a centésima vez enquanto tornamos a guardar nas gavetas da minha cômoda as roupas que agora parecem estar espalhadas por todo o aposento.

– De nada – responde ele.

Ao jogar uma camisa no cesto de roupa suja, reparo que não está tão cheio quanto parecia estar no dia anterior. Reviro as roupas; tem alguma coisa faltando.

Eles levaram as roupas que eu estava usando no dia anterior.

Roo a unha do polegar enquanto tento me lembrar da camiseta e da calça jeans que despi antes de cair na cama na noite anterior. Não havia sangue nenhum nas minhas roupas… tenho certeza.

Pelo menos, quase certeza. Mas e se houvesse alguma partícula microscópica que seria encontrada em algum teste? Parece uma possibilidade. Porém, se a teoria de Enzo estiver correta, nunca houve sangue nenhum enquanto eu estava naquele apartamento. Mas não tenho certeza absoluta.

Enzo está ocupado guardando roupas numa gaveta. Estou grata por ele ter vindo, mas parte de mim quer que ele vá embora para eu poder ficar mais à vontade para entrar em pânico.

Limpo a garganta com um pigarro.

– Se você tiver que ir embora, tudo bem.

– Não, tá divertido. – Ele pega uma calcinha rosa rendada que está jogada no chão. – Que bonita. É nova?

Estendo a mão e arranco a peça das mãos dele. Pelo menos, ele é uma boa distração.

– Não lembro mais.

– Dá pra ver por que o Brócolis gostava tanto de você, com calcinhas bonitas feito essa.

Lanço um olhar para ele.

– Enzo...

– Desculpa. – Ele baixa a cabeça. – É que... não entendo esse cara.

Já estamos arrumando há mais de uma hora sem mencionar Brock. Acho que eu não deveria ficar surpresa por ele tocar no assunto.

– O que tem pra entender?

– Ele não parece alguém de quem você fosse gostar.

– É, bom... – Eu me deixo cair sentada na cama com um casaco de moletom embolado no colo. – Ele é um cara legal. Quer dizer, era. Um advogado de sucesso. Não tem nada nele pra não gostar.

Enzo se senta ao meu lado na cama.

– Se ele é um cara legal, cadê ele agora?

Não é um argumento injusto, mas Enzo não conhece a situação toda.

– Eu escondi algumas coisas dele sobre o meu passado. Ele ficou magoado. Disse que sentia não saber quem eu era. É compreensível ele ter tido essa reação.

– Você não pode ser rotulada pelo que fez quando era adolescente. – Seus olhos negros encaram com firmeza os meus. – Quem você é está evidente. Se ele não soube ver isso convivendo com você, então ele tem razão... não merece estar com você.

Não que Enzo e eu tivéssemos a relação perfeita, mas nunca duvidei que ele me entendesse. Às vezes, ele parecia me entender melhor do que eu entendia a mim mesma. E eu sabia que, se algum dia tivesse problemas, ele faria qualquer coisa para me ajudar.

– Às vezes eu acho que... – Mordo o lábio inferior. – Que a gente nunca se conectou por completo. E provavelmente a culpa é minha, porque escondi coisas dele. Enfim, acabou.

– Tem certeza?

Recordo o olhar que Brock me lançou ao sair da sala de interrogatório.

– Tenho. Tenho certeza, sim.

– Nesse caso, se eu te beijar, ele não me daria um soco na cara? – pergunta Enzo.

– Não, mas eu poderia dar.

Um sorriso ameaça surgir na boca dele.

– Vou me arriscar.

Ele se inclina para me beijar, e minha sensação é que eu estava esperando por isso há quase dois anos. Finalmente entendo por que estava hesitando tanto em ir morar com Brock e lhe contar meus segredos. É porque nunca me senti assim em relação a ele. Nem de longe.

E Enzo tem razão. Não dou um soco na cara dele.

SESSENTA E DOIS

Já estamos em frente ao prédio de tijolos desde as seis horas da manhã.

Foi difícil me arrastar para fora da cama tão cedo, ainda mais porque Enzo e eu fomos dormir bem tarde, se é que estou me fazendo entender. E, na noite anterior, meu sono não tinha sido exatamente maravilhoso. Mas Enzo fez questão de que chegássemos de manhã bem cedo, para garantir que não perdêssemos ninguém entrando nem saindo.

Estamos vestindo o que Enzo chama de "disfarces". Quando ele disse isso, imaginei óculos escuros grandões e bigodes falsos, mas na verdade são só dois bonés de beisebol e óculos de sol. Enzo está usando um boné do Yankees e me arrumou um que está escrito "I Love NY". Só que no lugar da palavra "love" tem um grande coração vermelho. Estou parecendo uma turista. O que é humilhante para alguém nascida e criada no Brooklyn.

– Turista é o melhor disfarce – comenta Enzo.

Talvez ele tenha razão, mas eu detesto. Apesar disso, estou disposta a qualquer coisa para descobrir que porcaria está acontecendo. Antes de acabar presa outra vez.

Como não podemos ficar num lugar só a manhã inteira, ficamos nos movimentando, mas o tempo todo sem tirar os olhos da entrada do prédio. Se houver uma entrada dos fundos como na cobertura dos Garricks, estamos ferrados. Mas como há muitos moradores entrando e saindo, estou esperançosa de que esse seja o único acesso.

Neste momento, são oito da manhã. Já estamos aqui há duas horas, e não houve nem sinal do homem misterioso – se eu de fato não o assassinei, como Enzo acha – nem da mulher loira. Uns dez minutos atrás, Enzo anunciou que estava com fome, então foi até a loja da Dunkin' Donuts do outro lado da rua. Ele sai de lá carregando dois copos de café e um saco de papel pardo.

– Toma – diz ele.

Pego o café, agradecida.

– O que tem no saco?

– Bagels.

– Eca. – Sinto o estômago embrulhar ao pensar em comer alguma coisa. Nem sei por que perguntei. – Dispenso.

– Você precisa comer alguma hora.

– Agora não. – Espio o prédio de tijolos através dos óculos escuros. – Só depois que a gente encontrar o cara.

Estou com receio de tirar os olhos do prédio. Eu poderia deixá-lo passar, e então nunca mais encontrar meu homem misterioso. Tenho medo de ser presa hoje, e, embora Enzo vá continuar tentando me ajudar, ele não sabe que cara o sujeito tem. A única pessoa que pode encontrá-lo sou eu.

– Então – diz Enzo. – Ontem à noite… foi bom, não foi?

Tomo um longo gole de café.

– Eu não consigo me concentrar em nada agora, Enzo.

– Ah. – Ele baixa os olhos para o próprio copo cheio de café. – É. Eu sei.

– Mas foi, foi bom sim.

Um dos cantos da sua boca se levanta.

– Senti tanta saudade de você quando estava fora, Millie… Me desculpa por ter ido embora. Não me arrependo de ter ficado na Itália por causa da minha mãe, mas não queria ter que escolher entre as duas pessoas mais importantes da minha vida. Queria que você tivesse esperado, mas não podia pedir isso.

Baixo a cabeça.

– Eu deveria ter esperado.

Enzo abre a boca para dizer mais alguma coisa, mas, antes de ele conseguir pronunciar qualquer outra palavra, agarro seu braço.

– É ela! É aquela mulher ali!

Enzo estreita os olhos para o outro lado da rua através dos óculos para observar a mulher de cabelos loiros que vem saindo do prédio, usando uma saia na altura dos joelhos e um blazer.

– Tem certeza?

– Quase absoluta.

Reconheço o rosto e a cor dos cabelos, mas o penteado está diferente. É possível que não seja ela. Só que não vi mais ninguém que sequer chegue perto.

– E agora? – pergunto a Enzo.

A mulher ajeita a alça da bolsa, então atravessa a rua. Eu me preparo para começar a segui-la, mas então ela entra no mesmo Dunkin' Donuts do qual Enzo acabou de sair. A julgar pela fila, vai passar no mínimo dez minutos lá dentro.

Enzo estala os dedos.

– Vou lá falar com ela.

– Você? E vai dizer o quê?

– Vou pensar em alguma coisa.

– Quer dizer que você vai abordar a mulher dentro daquele Dunkin' Donuts e ela simplesmente vai te contar tudo?

Ele leva uma das mãos ao peito.

– Isso aí! Sou muito charmoso!

Reviro os olhos.

– Espera só, Millie. – Ele aperta de leve o meu braço, em seguida me passa o saco de papel pardo com os bagels. – Vou descobrir tudo pra você.

SESSENTA E TRÊS

Enzo está demorando uma eternidade no Dunkin' Donuts.

Ele me disse para ficar do outro lado da rua, mas, depois de dez minutos, começo a ficar ansiosa. O que está acontecendo lá dentro?

Queria ter ido com ele. Não acho que teria estragado muito a encenação dele. Bom, talvez sim, mas como é a minha vida que está em jogo, eu gostaria de saber o que está acontecendo.

Por fim, atravesso a rua e vou até o Dunkin' Donuts. Como a fachada é toda de vidro, é fácil olhar para dentro. Espio pelas janelas, e, no início, nem avisto os dois. Mas então vejo. Bem lá na outra ponta da loja, onde as pessoas pegam seus pedidos. Os dois estão muito entretidos numa conversa. Os olhos negros de Enzo parecem totalmente concentrados nos dela.

Por um instante, sinto uma pontada de dúvida. Sempre confiei em Enzo, mas há vezes em que não tenho total certeza se ele é confiável. Afinal, o motivo original pelo qual ele teve que sair da Itália foi por ter espancado um homem até quase matá-lo. Ele teve um motivo muito bom, pelo menos segundo ele próprio, mas o fato em si não muda. E depois ele partiu outra vez para o outro lado do Atlântico alegando que o escroto que queria seu couro tinha tido uma morte prematura, embora não tenha dado nenhum outro detalhe a esse respeito.

Ele me contou que a mãe estava doente. Que tinha sofrido um AVC. Mas, na verdade, tudo que eu tive foi a palavra dele. Não cheguei em momento algum a ver essa suposta mãe doente.

E então, ao voltar para os Estados Unidos, em vez de me ligar como qualquer pessoa normal faria, ele passou três meses me seguindo sob o pretexto de estar me protegendo. Eu lhe contei todos os detalhes sobre a família Garrick. Ele é sagaz o suficiente para ter adivinhado que Wendy estava me fazendo de boba, mesmo que eu não tivesse percebido. Por que não disse nada?

E ai, meu Deus, sobre que diabos eles estão falando lá dentro há tanto tempo?

Agora que estou vendo mais de perto, reparo que a mulher loira está com os olhos inchados, como se tivesse chorado. Mas ela então sorri de algo que Enzo lhe diz, e seu rosto se ilumina um pouquinho. Parece tudo de fato bem inocente, devo admitir. Ele é mesmo muito charmoso quando quer. Com o sotaque e a aparência que tem, é muito bom em falar com mulheres.

Depois do que parecem mais dez minutos, Enzo e a mulher saem do Dunkin' Donuts. Ele lhe dá um aceno e diz *"Ciao, bella!"*, o que a faz enrubescer.

Ao me ver em pé em frente à loja, ele me lança um olhar de reprovação.

– Eu não te disse pra ficar do outro lado da rua?

Cruzo os braços.

– Você demorou muito lá dentro.

– É, e agora eu sei de tudo. – Ele inclina a cabeça. – Quer que eu te conte?

Encaro os olhos escuros de Enzo. Esse homem nem sempre faz tudo como reza a cartilha. Assim como eu, já fez algumas coisas ruins na vida, embora tenha sido sempre pelos motivos certos. Já o vi arriscar a própria vida para ajudar mulheres em perigo. Se existe alguém neste mundo em quem posso confiar, é nele. Eu nunca deveria ter duvidado dele nem por um segundo.

– Quero. Me conta.

Enzo lança um olhar para mais adiante na rua, onde a mulher está entrando numa estação de metrô.

– Aquela ali é assistente do Douglas Garrick. E é a esposa do homem que você tá procurando.

Fico encarando Enzo.

– Sério? Tem certeza?

– Vamos saber daqui a um segundo. – Ele enfia a mão no bolso para pegar o celular, digita alguma coisa, rola a tela por alguns segundos, então me passa o aparelho. – É ele?

Ele me mostra uma foto de rosto no LinkedIn, e eu o reconheço na hora. É o homem que estava esganando Wendy naquela noite. O mesmo em quem dei um tiro no peito.

– É ele – respondo com um arquejo.

Leio o nome no perfil do LinkedIn: Russell Simonds.

– E até hoje de manhã… – Enzo retira o celular das minhas mãos. – Ele está vivo.

Ele está vivo. Eu não matei ninguém, no fim das contas. O alívio que sinto é em certa medida misturado ao fato de que, embora eu não tenha matado ninguém, a polícia com certeza acha que fiz isso.

– Mas hoje de manhã ele viajou a… bom, a esposa dele diz que foi uma viagem a trabalho. Segundo ela, ele é um cara muito ocupado. Vive trabalhando até mais tarde.

Talvez por isso eles estivessem discutindo naquele dia na rua. Ou talvez estivessem discutindo porque ela desconfiava que ele estivesse saindo com outra mulher.

Wendy.

– E agora, então? – pergunto. – A gente espera ele voltar dessa suposta viagem a trabalho?

– Não – responde Enzo. – Agora a gente descobre mais sobre esse tal de Russell Simonds.

– Como?

– Eu conheço um cara.

É claro que conhece.

SESSENTA E QUATRO

Acabamos voltando para o apartamento de Enzo.

O lugar fica só a uns dez quarteirões de onde eu moro, o que suponho que faça sentido se ele estava assumindo o papel de meu guarda-costas secreto. O apartamento é ainda menor do que o meu, só uma quitinete com um cômodo que faz as vezes de cozinha, quarto, sala e área de jantar. Felizmente, há um banheiro separado. É o oposto total da cobertura dos Garricks, ou mesmo do espaçoso apartamento de dois quartos de Brock.

Quando entramos, Enzo joga as chaves numa mesinha junto à porta, então vai até a cozinha americana, onde abre a torneira e joga água no rosto. Fico me perguntando se está tão cansado quanto eu. Sinto uma estranha combinação de cansaço e energia. Não dormi o suficiente na noite anterior, mas a ansiedade em relação à polícia vir me pegar deixa meu coração acelerado o tempo todo.

– Senta – diz ele. – Quer uma cerveja?

– Mal deu onze da manhã.

– A manhã foi longa.

Isso com certeza.

No entanto, decido não tomar a cerveja. Eu me deixo cair sentada num futon que Enzo parece ter catado na calçada; inclusive, está até um pouco mais gasto do que o meu. A maioria dos móveis da casa dele tem cara de que poderia ter sido lixo num passado recente.

– Está trabalhando com quê? – pergunto a ele.

Enzo tinha um emprego decente antes de ir embora, mas tenho certeza de que ninguém o guardou para ele.

– Arrumei emprego numa empresa de paisagismo. – Ele ergue um dos ombros. – É razoável. Paga as contas.

Olho para o celular dele, que Enzo colocou em cima de uma mesa de centro.

– O que o seu cara vai descobrir?

– Não sei bem. Quem sabe uma passagem de Russell pela prisão. Alguma coisa que possamos levar para a polícia, e eles poderiam verificar o apartamento para ver se encontram digitais. Tenho certeza de que devem ter encontrado digitais desconhecidas na cobertura, então ajudaria se elas pudessem ser identificadas... qualquer coisa para diminuir a pressão em cima de você.

– E se não for suficiente?

– Tenho certeza de que a gente vai encontrar alguma coisa.

– E se não encontrar?

– Confia em mim, vai ter algum jeito – assegura Enzo. – Você não vai ser presa por uma coisa que não fez.

Como se tivesse ouvido a deixa, o celular de Enzo começa a tocar. Ele pega o aparelho e se levanta do futon com um pulo para ir atender na cozinha. Espicho o pescoço para observar sua expressão, que pouco revela. Isso também vale para suas respostas, que consistem principalmente em "aham" e "tá". Em determinado momento, ele pega uma caneta e anota algo num pedaço de papel-toalha.

– *Grazie* – diz ele à pessoa do outro lado da linha antes de pousar o telefone sobre a bancada da cozinha.

Enzo passa alguns segundos simplesmente parado ali, olhando para o papel-toalha.

– E aí? – pergunto por fim.

– Ele não tem passagem – afirma Enzo. – A ficha tá limpa.

Sinto um peso no peito.

– Tá...

– Consegui o endereço de uma residência secundária – diz ele. – Fica num lago a umas duas ou três horas ao norte de Manhattan. Vai ver... vai ver é lá que ele está ficando.

Pulo do futon e pego minha bolsa.

– Então vamos até lá!

– Pra fazer o quê?

Ando até onde ele está na cozinha. Leio o endereço no papel-toalha. Sei vagamente onde fica. O Google Maps vai me guiar até lá.

– Arrancar a verdade dele.

– A gente sabe a verdade. – Ele puxa o papel-toalha para longe do meu alcance. – Agora só falta fazer a polícia saber.

– Então o que você sugere?

– Não sei bem. – Ele esfrega os olhos com a base da mão. – Não se preocupa. A gente vai dar um jeito nisso. Só preciso pensar.

Ótimo. E enquanto ele pensa, a polícia está ocupada construindo um caso contra mim.

– Eu acho que a gente deveria ir até lá.

– E eu acho que isso vai piorar as coisas.

Não sei o que pensar, mas estou me coçando para fazer alguma coisa agora mesmo. Porque a polícia não está sentada neste instante numa cozinha americana refletindo sobre a situação.

Antes que eu consiga tentar convencer Enzo, meu celular toca dentro da bolsa. Pego o aparelho, e minha respiração entala na garganta quando vejo o nome na tela.

– É o Brock.

SESSENTA E CINCO

Os olhos já escuros de Enzo escurecem mais ainda. Ele não fica nada feliz ao saber que é o meu ex-namorado ligando. Mas não é do tipo ciumento, e jamais me pediria para não atender. E, mesmo que fizesse isso, eu não lhe daria ouvidos.

– Só um minuto – peço a Enzo.

Ele assente.

– Faz o que precisar fazer.

Eu sabia que ele não criaria problemas. Bom, ele não parece muito entusiasmado, mas pelo menos não protesta.

– Alô? – digo no aparelho.

– Millie? – A voz de Brock soa distante, como se fôssemos duas pessoas que só se conheceram por pouco tempo e de passagem. Faz só dois dias que a gente terminou, e já parece estranho termos namorado em algum momento. – Oi...

– Oi – respondo, tensa.

Não consigo imaginar o que ele possa querer. Uma coisa é certa: voltar ele não quer. Provavelmente deve estar agradecendo ao seu anjo da guarda por não termos ido morar juntos. De nada, Brock.

– Olha – diz ele. – Eu... eu queria me desculpar por ter te deixado sozinha na delegacia.

– Ah, é?

Ele dá um suspiro.

– Eu fiquei abalado, mas fazer isso foi muito antiprofissional da minha parte. Independentemente do que tiver feito de errado, você tinha me pedido para ir lá como seu advogado, e eu te devia isso.

– Obrigada. Agradeço pelas desculpas.

– E é por isso que estou ligando. – Ele faz uma pausa. – Falei com o investigador outra vez hoje de manhã, e sinto que te devo um alerta: eles mandaram testar umas roupas que pegaram no seu cesto de roupa suja.

Seguro o celular com mais força.

– Pra ver se tinha sangue?

– Não, pra ver se havia resíduos de pólvora. E deu positivo.

Fico de queixo caído. Simplesmente supus que eles estivessem procurando sangue na minha roupa. Nem ao menos me ocorreu que poderiam estar procurando outra coisa.

– Ah...

– Acho que eles estavam esperando esse resultado chegar pra fechar seu caso – conclui ele. – Imagino que devam estar solicitando um mandado de prisão neste exato momento.

Eu gelo, e meus joelhos começam a tremer.

– Ah...

– Sinto muito, Millie. Só queria te avisar antes. Eu te devo isso.

– É...

– E... – Ele dá uma tossida do outro lado. – Boa sorte, sabe, com tudo.

Viro as costas para Enzo para que ele não veja meus olhos marejados.

– Obrigada.

Obrigada por nada. Obrigada por me abandonar quando a minha vida está em frangalhos.

Brock desliga, e fico segurando o telefone junto ao ouvido, lutando para não deixar as lágrimas rolarem. Estou totalmente ferrada. Wendy armou de forma brilhante para me fazer levar a culpa pelo assassinato de um homem que nunca sequer encontrei.

– Millie. – A mão grande de Enzo pousa no meu ombro. – O que houve? O que ele falou?

Seco os olhos antes de me virar.

– Falou que a polícia achou resíduos de pólvora nas roupas que pegou no meu cesto de roupa suja.

Enzo aquiesce.

– Se você usar uma bala de festim, mesmo assim ficam resíduos de pólvora na sua roupa.

Enterro o rosto nas mãos.

– O Brock falou que eles já devem ter um mandado de prisão, ou vão ter muito em breve. O que é que eu vou fazer?

– Eu não vou desistir. – Ele me segura pelos ombros. – Tá me entendendo? Aconteça o que acontecer. Vou conseguir te liberar.

Acredito que ele esteja sendo sincero. Mas não acho que Enzo seja capaz de me tirar dessa confusão. Se a polícia me prender, já era. Eles vão parar de procurar o verdadeiro assassino. Tudo vai ser posto na minha conta, e ao que parece o caso deles é sólido. Resíduos de pólvora nas minhas roupas, minhas digitais na arma do crime e o testemunho do porteiro de que eu estava no prédio no horário aproximado da morte.

Estou muito ferrada.

– Eu quero ir até esse tal chalé no lago. – Olho de relance para o endereço anotado no papel-toalha. – Quero encontrar esse desgraçado. Preciso descobrir o que aconteceu.

– Não vai adiantar nada.

– Que se dane – rosno. – Quero ver a cara dele. Quero olhar nos olhos dele e perguntar por que ele fez isso comigo. E se a Wendy estiver lá também, quero…

Meu olhar cruza o de Enzo. Seus olhos se arregalam por um instante, então ele corre até a bancada da cozinha e pega o papel-toalha com o endereço antes de eu conseguir chegar lá. Amassa o papel e o segura debaixo da torneira da pia até a tinta borrar.

– Não – diz com firmeza. – Não vou deixar você fazer uma besteira.

– Tarde demais. Já decorei o endereço.

– Millie! – Seu tom é ríspido, e seus olhos estão arregalados. – Não vai nesse chalé. Você não tá raciocinando direito agora. Não fez nada de errado, e só vai presa se der a eles um motivo pra te prenderem!

– Você tá errado. – Ergo o queixo. – Vão me prender de qualquer maneira. Melhor fazer por merecer, então.

– Millie. – Ele segura meu pulso com a mão grande. – Não vou deixar você fazer nenhuma besteira. Promete pra mim que não vai nesse chalé.

Ergo os olhos para ele.

– Promete pra mim. Não vai sair daqui a não ser que prometa.

Ele não está me segurando com força para machucar, mas o bastante para eu não conseguir me soltar. Está tentando com muito afinco me salvar de mim mesma. Fofo. Brock não conseguia parar de dizer que me amava, mas Enzo me ama de verdade. E acredito que, mesmo se eu for presa, ele vai fazer tudo que puder para me tirar de lá. Ele vai fazer o possível para revelar a verdade.

– Tá bom. Eu não vou.

– Promete?

– Prometo.

Ele solta meu pulso. Dá um passo para trás; está com uma cara triste.

– E eu prometo que vou resolver isso.

Assinto. Deixei minha bolsa em cima do seu futon, e então estendo a mão para pegá-la.

– É melhor eu voltar para casa e encarar a realidade.

– Quer que eu vá com você?

– Não. – Ponho a bolsa no ombro. – Não quero que você veja quando eles me algemarem.

Enzo estende os braços para mim e me dá um último beijo, que sinceramente quase basta para me fazer atravessar alguns anos de prisão. Ninguém sabe beijar feito esse homem. Brock com certeza não sabia.

– Eu prometo – sussurra ele no meu ouvido. – Não vou deixar você voltar pra cadeia.

Eu me afasto dele, um pouco trêmula.

– Vou pra casa, então.

Ele aperta minha mão.

– Vou te arrumar um bom advogado. Vou dar um jeito de pagar.

Seu minúsculo apartamento está repleto de mobília tirada do lixo, e mordo a língua para não fazer nenhum comentário sarcástico.

– Vou ficar com saudade.

– Eu também – diz ele.

– E... eu te amo.

Essa frase não pareceu a coisa certa quando eu a disse para Brock, mas agora parece. Eu não poderia ir embora daqui sem dizer isso a ele.

– Eu também te amo, Millie – responde ele. – Muito.

Eu o amo mesmo. Sempre amei. E é por isso que detesto mentir para ele.

Mas não posso contar que guardei a chave do carro dele na bolsa.

Ele vai descobrir logo, logo, de qualquer jeito.

PARTE IV

SESSENTA E SEIS
WENDY

Russell e eu estamos comemorando com uma garrafa de champanhe.

Embora tenha sido um pouco arriscado, ele me levou de carro até seu chalé no lago para podermos fugir da quantidade colossal de repórteres acampados em frente à cobertura e à casa em Long Island. Tecnicamente, o chalé pertence a Marybeth, e quando ele se separar, voltará a ser dela. Tudo bem, porque agora sou mais rica do que nos meus mais loucos devaneios. Mais rica do que é possível conceber. Não preciso desse chalé de dois quartos fuleiro.

Se bem que a banheira extravagante do chalé tem uma função de hidromassagem bem agradável. É como estar numa jacuzzi.

Durante o trajeto de carro, ficamos de olho no retrovisor para garantir que nenhum jornalista estivesse nos seguindo. Como o último trecho da viagem estava razoavelmente deserto, qualquer pessoa que estivesse nos seguindo teria sido fácil de identificar. Russell disse a Marybeth que iria fazer algum tipo de viagem a trabalho para garimpar móveis antigos, ou sei lá o quê. Não me importa o que ele disse. Ela não tem mais importância.

– Estou tão feliz – murmuro. – Acho que há muito tempo eu não ficava tão feliz.

Russell sorri, mas sua expressão revela certa tensão. Ele não fez segredo algum em relação ao fato de não querer matar Douglas. Ainda não consigo acreditar que ele me obrigou a fazer o trabalho sujo enquanto ficava encolhido na cozinha. Russell tem sorte de ser bonito, porque perdi bastante respeito por ele naquela noite. Ele deveria estar grato a mim em vez de me olhar como se eu fosse algum tipo de monstro, pelo amor de Deus.

Bom, se ele não estiver feliz, pode voltar para a megera da esposa dele, e eu vou encontrar alguém novo para curtir meus milhões de dólares.

Sirvo o resto do champanhe na taça de Russell.

– Tá uma delícia – digo. – Onde você comprou?

– A Marybeth gosta.

Tenho a sensação de que ele anda falando mais da esposa ultimamente, e num tom menos ressentido do que antes. Não é um bom sinal.

– Tem mais?

– Champanhe acho que não. Mas pode ser que tenha algum vinho na cozinha.

Fico irritada por Russell não se oferecer ele próprio para ir pegar. Os homens são todos iguais: no começo, eles se viram do avesso para lhe dar tudo que você quer, mas depois de um tempo começam a parar de prestar atenção em você. Que tipo de cavalheiro não se oferece para ir pegar uma garrafa de vinho para uma mulher?

Mas estou morrendo de vontade de beber, e o champanhe que estamos tomando já estava pela metade para começo de conversa, então pego uma toalha e a enrolo em volta do meu corpo nu, e depois saio do banheiro para a sala. Meus pés deixam pegadas molhadas no piso de madeira. A chuva bate com força na varanda e escorre pelo telhado, o que é bom, caso alguém estivesse tentando vir atrás da gente. Não vai haver marcas de pneu para seguir.

Entro na cozinha, e dito e feito: há uma garrafa em cima da bancada. É um pinot noir, três quartos da garrafa, com uma cara meio vagabunda, mas é melhor do que nada. Pego a garrafa e sigo para o banheiro, mas então me detenho.

Uma das janelas do chalé está escancarada.

SESSENTA E SETE

Essa janela estava aberta quando chegamos?

Não me lembro. Mas, enfim, nós estávamos mais concentrados em comemorar o fato de o investigador Ramirez ter me contado que planejava prender Millie Calloway. Nós conseguimos nos safar... realmente conseguimos.

Mas a janela estava aberta quando entramos? Não me lembro mesmo. Pode ser que sim.

E a janela se destaca muito mais agora que está chovendo. Gotas respingam do lado de dentro, deixando a madeira em volta molhada. Essa janela deveria estar fechada.

Pouso a garrafa de vinho sobre a mesa de canto ao lado do sofá, então marcho decidida até a janela. As gotas de chuva geladas me atingem no rosto e salpicam meus braços nus. Depois de um breve esforço, consigo fechar a janela.

Pronto.

Pego o vinho e levo de volta para o banheiro, onde Russell continua dentro da banheira, com os cabelos escuros grudados na cabeça. No início, acho que seu rosto está molhado por causa da água do banho, mas então me dou conta do que está acontecendo.

– Você tá chorando? – disparo.

Russell seca os olhos, envergonhado.

– É que... é que não consigo acreditar que a gente matou ele. Eu nunca fiz nada desse tipo.

Não entendo por que Russell está chorando. Quem matou Douglas fui eu. E não estou sentindo nem um pingo de arrependimento. No que me diz respeito, Douglas mereceu tudo que aconteceu com ele.

– Segura a sua onda – ordeno, ríspida. – O que está feito está feito. Ele era uma pessoa horrível de toda forma. Estava me atormentando.

– Porque você traiu ele.

E isso por acaso basta para me deixar sem um tostão? Embora Russell não saiba que menti para Douglas sobre não poder ter filhos. Provavelmente é melhor não contar isso para ele. Russell vai ficar se sentindo ainda pior.

– Olha… – Solto a toalha e a deixo cair no chão. Então torno a encher sua taça com o líquido bordô, e encho também a minha. – Por que não deixa eu te ajudar a esquecer isso tudo?

Volto para a água quente da banheira, e Russell bebe com sofreguidão o conteúdo da taça de vinho, o que deixa sua boca manchada de vermelho. Concluo que essa é uma boa ideia, e viro minha própria taça também. Como é um vinho vagabundo, não preciso saborear. Depois de mais uma ou duas taças, nós dois vamos estar nos sentindo bem melhor.

SESSENTA E OITO

Eu tinha toda a razão.

Duas taças de vinho depois, Russell não está mais chorando. E eu tenho a agradável sensação de estar meio altinha. Já fazia muito tempo que as coisas não corriam exatamente como eu queria. Depois dos seis últimos meses, eu precisava de uma vitória, e o dia de hoje foi uma das grandes. Douglas está morto, eu vou herdar uma fortuna colossal, e Millie vai levar a culpa por tudo. Ela cumpriu muito bem seu papel.

– Eu poderia ficar nesta banheira para sempre – comento com um suspiro enquanto me reclino, sentindo a pele deslizar contra a de Russell. – Tá gostoso, não tá?

– Humm – responde ele. – Só que tô meio com sono. Acho que tô um pouco bêbado.

Eu não estou bêbada, mas com certeza estou me sentindo levemente alta. É gostoso. Aqui na banheira está tudo muito tranquilo, a não ser por uma música tocando ao longe.

– Wendy – diz Russell. – Isso não é o seu celular?

Ele tem razão.

Deve ser Joe Bendeck. Eu lhe pedi que me ligasse para falar sobre o considerável patrimônio de Douglas. Sinto uma pontinha de prazer ao pensar que Joe nunca foi com a minha cara, e como agora sou dona do patrimônio inteiro de Douglas e também da sua empresa, sou basicamente a chefe de

Joe. Ele não tem outra escolha a não ser me obedecer. Vou adorar ser uma piranha má.

Dessa vez, estendo a mão para pegar um roupão, que visto antes de ir depressa até a sala, onde deixei meu celular em cima da mesa de centro. Dito e feito: na tela está aparecendo o nome Joseph Bendeck. Atendo logo, antes de a ligação cair na caixa postal.

– Oi, Joe.

– Oi, Wendy.

Saboreio o tom completamente arrasado da voz dele. É bom vencer.

– Era pra você ter me ligado hoje à tarde. São quase dez da noite.

– Desculpe. – Sua voz tem um quê de amargura. – Meu melhor amigo acabou de ser assassinado. No momento, não estou conseguindo funcionar exatamente cem por cento.

– Bom, isso é um problema – retruco, seca, enquanto entro na cozinha. Olho pela janela; de fato está caindo o maior pé-d'água. – Você é o executor dos bens que o Douglas deixou, e se não estiver conseguindo fazer seu trabalho, talvez outra pessoa devesse assumir seu lugar.

– Não. O Doug queria que fosse eu. É… é o mínimo que posso fazer pra cumprir as vontades dele.

– Certo.

Se ele tentar fazer qualquer gracinha, tomarei providências para que seja desligado da empresa. Na verdade, eu provavelmente deveria mandá-lo embora de toda forma. Não confio mais nele do que confiava em Douglas no fim.

– Então – continuo –, quando é que os bens dele vão ser transferidos para o meu nome? Preciso conseguir pagar minhas contas.

A morte de Douglas não quer dizer que as parcelas dos imóveis não precisem mais ser pagas. Eu nem sequer tenho um cartão de crédito ativo, já que ele cancelou todos. Só a cobertura tem uma parcela de centenas de milhares de dólares, então vou precisar de algum dinheiro… e rápido.

– Você quer que o dinheiro do Doug seja transferido para o seu nome? – indaga Joe.

– É. – Tamborilo na bancada. – É assim que funciona, não?

– Não exatamente… – Joe passa alguns segundos calado. – Wendy, você tá sabendo que o Doug mudou o testamento dele no mês passado?

Como é que é?

– Não. Que história é essa?

– Ele mudou o testamento. Deixou tudo para instituições de caridade.

Uma onda de tontura toma conta de mim. Alguns meses depois de nos casarmos, Douglas mandou fazer um testamento deixando tudo para mim. Fui com ele ao advogado para garantir que fizesse isso, já que Douglas era o rei da procrastinação. Nem ao menos havia me ocorrido que ele poderia ter mudado o testamento no curto período desde a nossa separação. Ele não teria feito isso.

A não ser que...

– Você tá mentindo – rebato com desprezo. – Tá inventando isso só pra me impedir de ficar com o dinheiro dele.

– Seria tentador. Mas não, não estou inventando. Estou com uma cópia autenticada do testamento dele bem aqui na minha frente.

– M-mas... – gaguejo. – Como ele pôde fazer isso?

– Bom, quando me explicou, o Doug comentou alguma coisa sobre você ser uma piranha mentirosa e manipuladora, e sobre não querer que você ficasse com nenhum centavo do dinheiro dele.

Sinto o coração bater descompassado dentro do peito, e por um instante vejo tudo borrado. Como isso pode estar acontecendo? Douglas comentou sobre deixar todo o seu dinheiro para a caridade, mas nunca imaginei que ele já tivesse iniciado os trâmites.

– Isso é um ultraje – protesto. – Ele não pode me tirar do testamento! Sou esposa dele! Vou contestar isso, e pode acreditar, vou ganhar.

– Tá bom. Como quiser, Wendy. Mas enquanto isso vou precisar que desocupe tanto a cobertura quanto a casa na ilha, porque vamos colocar os dois imóveis à venda.

– Vai pro inferno – sibilo no celular.

Clico no botão vermelho do aparelho para encerrar a ligação, mas minhas mãos estão tremendo. Preciso acreditar que Douglas não pôde simplesmente assinar um papel dizendo que vai me deixar sem nada e ponto. Posso contestar isso. E, como Douglas não está mais aqui, ele não pode se defender. De uma forma ou de outra, vou conseguir minha parte.

Embora não vá ter exatamente o patrimônio que havia imaginado. Mas tudo bem.

Enquanto estou encarando o celular, tentando entender qual vai ser meu próximo passo, o aparelho volta a tocar na minha mão. Respiro fundo ao ver de onde vem a chamada: Departamento de Polícia de Nova York.

SESSENTA E NOVE

Deve ser o investigador Ramirez. Ele me ligou horas atrás, quando eu ainda estava em Manhattan, para avisar que iriam prender Millie. Espero que essa chamada seja para me avisar que ela está atrás das grades.

Com sorte, essa ligação não vai ser tão desagradável quanto a anterior.

– Alô? – atendo, tentando soar como uma viúva enlutada.

As aulas de teatro que fiz na faculdade estão servindo. Mereço um Oscar pela minha atuação diante de Millie.

– Sra. Garrick? – É a voz de Ramirez. – Investigador Ramirez.

– Boa noite, investigador. Espero que estejam com aquela mulher que matou meu marido atrás das grades!

– Na verdade… – Ai, meu Deus, o que foi agora? – Nós não conseguimos localizar Wilhelmina Calloway. Fomos ao apartamento dela com o mandado de prisão, e ela não estava lá.

– Bom, e onde ela está?

– Se soubéssemos, nós a teríamos prendido, não?

Mais uma vez, sinto aquele descompasso no coração.

– O que vocês vão fazer pra encontrar essa mulher? Ela é muito perigosa, o senhor sabe.

– Não se preocupe. Nós vamos acabar a encontrando. Prometo.

– Ótimo. Fico feliz que estejam no controle da situação.

– Mas tem outra coisa sobre a qual eu gostaria de conversar, Sra. Garrick.

O que foi agora? Olho de relance na direção do banheiro. Não sei por que Russell continua lá dentro mesmo sabendo que eu já saí. Ele vai ficar todo enrugado.

– Claro, investigador.

– É o seguinte. – Ramirez limpa a garganta com um pigarro. – O síndico do prédio da cobertura passou os dois últimos dias fora. Ele estava na Europa, e não estávamos conseguindo contato. Enfim, hoje à tarde finalmente consegui falar com ele, e ele me contou uma coisa realmente interessante.

– Ah, é?

– Ele disse que tem uma câmera de segurança nos fundos do edifício.

Acho que meu coração para de bater por uns bons cinco segundos.

– Como disse?

– Por algum motivo, nós deixamos passar – afirma ele. – Ele falou que mandou instalar a câmera meio escondida, porque os moradores não gostam de sentir que estão sendo espionados. E a parte mais curiosa é a seguinte: quem forneceu o equipamento de segurança cerca de um ano atrás foi o seu marido, porque ele estava preocupado com aquela entrada dos fundos.

– Ele… foi mesmo? – pergunto, engasgada.

Ouço um barulho alto que parece vir do banheiro, seguido por água se derramando, mas ignoro. Se Russell tiver tentado sair da banheira e caído, simplesmente vai ter que levantar sozinho.

– É, e nós acabamos de assistir a todas as imagens. E é bem louco… segundo essas gravações, o seu marido não entra naquele apartamento há meses. Digo, durante todo o tempo em que a Srta. Calloway passou trabalhando lá. Então não sei como ela estava tendo um caso com ele na cobertura se ele nem sequer estava lá. A senhora entende?

Sinto a boca quase seca demais para dizer qualquer palavra, mas dou um jeito de perguntar:

– Vai ver eles estavam se encontrando em outro lugar?

– Pode ser. Só que não encontrei nenhum quarto de hotel nos extratos dos cartões de crédito nem nada do tipo.

– É claro que ele não pagaria com o cartão. Nesse caso, eu veria. Ele deve ter pagado em dinheiro vivo.

– Talvez a senhora tenha razão – admite Ramirez. – Mas a parte realmente louca é a seguinte: na noite em que o seu marido foi assassinado, ele só apareceu na entrada dos fundos depois do horário em que o porteiro viu Millie sair do prédio.

– Que… que coisa estranha…

Se ele viu essas imagens, deve saber também que eu estava no prédio no mesmo horário em que Douglas foi assassinado. E se ele sabe disso, estou encrencada até o pescoço.

– Escuta só – diz ele. – Eu estava pensando se a senhora poderia vir à delegacia esclarecer algumas coisas que estão confusas para nós. Vamos mandar uma viatura até a sua casa.

– Eu… eu não estou em casa agora…

– Ah, é? Então onde a senhora está?

Afasto o celular do ouvido. A voz do investigador Ramirez soa subitamente distante.

– Alô? Sra. Garrick?

Pressiono o botão vermelho para encerrar a ligação e largo o aparelho em cima da bancada como se ele pudesse me queimar. Então me inclino sobre a bancada da cozinha, tentando resistir a uma onda de náusea e tontura.

Não consigo acreditar que havia uma câmera na entrada dos fundos. Perguntei especificamente sobre isso, e me responderam que não. Mas isso foi antes de Douglas gentilmente providenciar uma, porque é claro que ele faria uma coisa dessas; meu marido era justamente esse tipo de nerd preocupado, generoso e amante da tecnologia. Ou talvez tenha sido mais uma tentativa de documentar que eu estava transando com outra pessoa sem ele saber.

Se havia uma câmera, ela vai bastar para inocentar Millie. E para pregar um prego bem grande no meu caixão.

Esfrego as têmporas, que começaram a latejar. Preciso encontrar um jeito de mudar essa história, porque não vou passar o resto da vida na prisão. Mas tenho algumas ideias. Já representei muito bem para Millie o papel de esposa abusada. Só vou precisar contar a história do meu terrível marido abusivo. Talvez, naquela fatídica noite, ele estivesse me atacando, pronto para me espancar até eu perder os sentidos, e eu tenha feito o que precisava fazer. A lei permite legítima defesa: era ele ou eu.

Pode ser que funcione.

– Russell! – chamo. – A gente precisa conversar.

Russell é um imenso fator complicador. Se a polícia tiver assistido às imagens da entrada dos fundos, devem tê-lo visto entrar naquela noite também.

Mas talvez não exista nada que o vincule diretamente a mim. Ele e eu vamos ter que combinar nossas versões. Tomara que ele não seja um bebê chorão em relação a isso tudo. Posso imaginá-lo perdendo o controle e contando à polícia toda a história sórdida.

Corro até o banheiro. Russell não vai ficar feliz ao escutar isso... Imaginar que tudo fosse correr às mil maravilhas era demais. De uma forma ou de outra, vamos passar por isso. Já estive em sinucas de bico antes, e consegui sair.

– Russell – torno a chamar. – O que é que...

Quando entro pela porta do banheiro, a primeira coisa que vejo é tudo vermelho. Uma quantidade imensa de vermelho, ondulando diante dos meus olhos. A água da banheira, antes transparente e quase opaca, tem agora um tom vivo de escarlate. Ergo os olhos e localizo a origem do sangue: uma ferida aberta na garganta de Russell.

Então olho para o seu rosto. Para seu maxilar frouxo. Para seus olhos fixos à frente, abertos sem piscar.

SETENTA

Russell está morto.

Foi assassinado.

E isso aconteceu entre o momento em que saí do banheiro e agora.

Torno a pensar naquela janela aberta. Alguém entrou no chalé. Alguém entrou no chalé e fez isso com Russell.

Infelizmente, eu sei quem é essa pessoa. Existe alguém que quer se vingar de mim neste momento e que também tem um histórico de comportamento violento. E a polícia não conseguiu encontrá-la.

– Millie? – chamo.

Ninguém responde.

Então as luzes se apagam.

Eu gostaria de dizer que é o temporal, mas não acho que o vento esteja tão forte assim para derrubar a energia. Alguém cortou a luz.

Abraço o peito com os dois braços enquanto sinto um arrepio. Depois que a luz caiu, o chalé ficou um breu. Estou com meu celular e o aparelho tinha algum sinal, mas eu o deixei lá na cozinha. Se ela for esperta, provavelmente a essa altura já o pegou. Ou seja, não tenho como chamar ajuda.

– Millie? – torno a chamar.

Ninguém responde. Ela está brincando comigo; deve me odiar agora. E tem todo o direito. Ela estava tentando me ajudar, e eu joguei toda a culpa em cima dela. Ela facilitou demais a minha vida.

Então as palavras da minha amiga Audrey ecoam na minha mente: Ela é barra-pesada, pode acreditar... é um perigo.

Millie é extremamente perigosa. Isso está bem claro.

E eu a transformei em uma inimiga.

– Millie – chamo com a voz aguda. – Por favor, me escuta. Eu... me desculpe. Não deveria ter feito o que fiz. Mas você precisa saber que o Douglas abusava mesmo de mim. Eu estava dizendo a verdade.

Um vidro se estilhaça em algum lugar do outro lado do recinto. Dou um tranco com a cabeça na direção do barulho. A menos que esteja usando óculos de visão noturna, Millie deve estar enxergando tanto quanto eu nessa escuridão. Talvez eu consiga dar um jeito de usar isso a meu favor.

– O Douglas fez todas aquelas coisas horríveis comigo. Ele era um marido horroroso. Eu precisava sair daquele casamento. Você precisa entender...

Millie continua sem responder. Mas posso sentir sua raiva fervilhando. Eu me meti com a mulher errada.

– Millie – continuo. – Você precisa saber, eu não estava fingindo. E a sua gentileza comigo... Isso significou tudo pra mim. Eu tive que fazer o que fiz.

Do lado de fora relampeja, e a claridade é suficiente para eu conseguir ter uma visão clara da cozinha. Da cozinha, repleta de facas e outras coisas que em teoria eu poderia usar como arma, mesmo que ela tenha pegado meu celular.

Chega de ficar argumentando com essa psicopata. Se ela quer briga, é briga que vai ter.

Corro na direção da cozinha. Ouço os passos de Millie atrás de mim, mas não paro. Mantenho os braços esticados na frente do corpo e torço para não dar de cara com uma parede. Pela graça divina, consigo chegar à cozinha. Passo pela pequena mesa, tentando não tropeçar nela. Consigo ultrapassar esse obstáculo, e meus pés então escorregam, e eu desabo no chão.

O piso está todo sujo de sangue.

Deve ser o sangue de Russell, levado até ali nas solas dos sapatos dela. Quando fecho os olhos, ainda posso vê-lo deitado lá no banheiro, com a garganta cortada e os olhos fitando o vazio. Foi Millie quem fez isso com ele, e ele nem é a pessoa que ela odeia de verdade. Não consigo nem imaginar o que ela deve ter reservado para mim.

Não vou lhe dar a chance de fazer nada. Vou cair lutando. Ela pode ser durona, mas eu também sou.

Eu me levanto, desorientada, apesar de sentir o quadril direito latejar devido ao tombo. Sigo tateando até a bancada da cozinha, e, sem enxergar, agito os braços, tentando encontrar o suporte de facas. Com certeza vi um faqueiro em cima da bancada. Não foi minha imaginação.

Por favor, esteja aí. Por favor.

Mas minhas mãos retornam vazias. Não consigo sentir nada sobre a bancada que se pareça com uma arma. É claro, Millie é inteligente demais para isso. Só consegui enganá-la antes porque ela confiava em mim, mas agora que conhece meu jogo, ela já previu todos os meus movimentos. Já assassinou uma pessoa nesta noite, e tem toda a intenção de me transformar na sua próxima vítima.

Tateio em volta à procura do fogão. Tenho certeza de ter visto uma frigideira ali em cima. Se conseguir pegá-la e der um jeito de brandi-la com força suficiente, talvez consiga derrubá-la. É minha única chance.

Mas então ouço os passos atrás de mim, chegando mais perto. Perto demais.

Ai, meu Deus. Ela está na cozinha comigo.

SETENTA E UM

Agito as mãos no ar, sem conseguir enxergar. Millie está bem atrás de mim. Provavelmente, a menos de dois metros. Se pelo menos outro relâmpago estourasse no céu. Aí talvez eu conseguisse encontrar algo que pudesse usar contra ela. Mas está escuro demais. Nem consigo ver o que está bem na minha frente.

– Wendy – diz ela.

Eu me viro e recuo até encostar as costas no fogão. Meu coração parece que vai explodir para fora do peito, e por alguns segundos a cozinha começa a girar. Inspiro fundo para tentar me acalmar. Desmaiar não vai me adiantar de nada. Eu provavelmente acordaria com as mãos e os pés amarrados.

Meus olhos conseguiram se adaptar ao escuro. Posso distinguir com clareza a silhueta de Millie do outro lado do cômodo. E algo então cintila na mão direita dela.

É uma faca. Deve ser a mesma que ela usou para matar Russell, decerto ainda melada com o sangue dele.

Ai, meu Deus.

– Por favor – imploro a ela. – Eu posso te dar o que você quiser. Vou ser podre de rica.

Millie dá um passo para mais perto.

– Eu sei que você está com dificuldades financeiras – sigo falando. – Posso pagar sua formação inteira. O seu aluguel. E mais um bônus além disso. Você nunca mais vai precisar se preocupar com dinheiro.

Mal consigo ver qualquer coisa na cozinha escura, mas a silhueta de Millie faz que não com a cabeça.

– Eu digo à polícia que me enganei. – Minha voz adquiriu um timbre histérico. – Digo pra eles que você nem sequer esteve lá. Que me enganei em relação a tudo.

Posso muito bem prometer isso, levando em conta que a polícia tem as imagens mostrando que Millie nem estava no apartamento ao mesmo tempo que o verdadeiro Douglas. Só que Millie não sabe disso. Quando eu sair daqui, existe uma boa probabilidade de a polícia me prender, mas aceito isso. Vou presa se tiver que ir, mas não quero morrer.

Millie não parece se comover com a minha proposta. Ela dá mais um passo à frente enquanto tento recuar, mas não tenho para onde ir.

– Por favor – imploro. – Por favor, não faz isso.

Um relâmpago ilumina a cozinha bem nessa hora, tarde demais para me ajudar a encontrar uma arma na bancada. Meus olhos se esforçam para deixar entrar a minúscula quantidade de luz, e por um instante posso ver com clareza o rosto da mulher que avança na minha direção segurando uma faca na mão direita.

Ai, meu Deus.

Não é Millie.

SETENTA E DOIS

– Marybeth? – sussurro.

A secretária do meu marido, que por acaso também é casada com Russell, está agora de pé a poucos metros de mim, me fulminando com os olhos. Nunca tive medo de Marybeth antes. Mesmo quando estava dormindo com o marido dela, nunca sequer pensei nessa mulher. Ela parecia razoavelmente simpática, e Russell nunca me contou nada diferente.

Eu a subestimei. A garganta cortada de Russell é prova disso.

Sou mais atraente do que Marybeth, objetivamente falando. Ela tem uns dez anos a mais do que eu e uma aparência condizente com a idade. Os cabelos loiros estão sem vida, há finas rugas ao redor dos olhos e da boca, e a pele debaixo do queixo está pendurada, flácida demais. Mas a cozinha então volta a mergulhar na escuridão, e ela se torna um contorno de novo.

– Senta – ordena Marybeth.

– Eu... eu não estou vendo nada – gaguejo.

Por um segundo, outro clarão de luz me impede de enxergar; ela acendeu a lanterna do celular. Vira a luz na direção da mesa da cozinha: um pequeno quadrado de madeira ladeado por duas cadeiras dobráveis. Cambaleio em direção à mesa e desabo sobre uma das duas cadeiras segundos antes de minhas pernas perderem as forças.

Marybeth se senta na outra cadeira. Agora que temos a luz do celular, posso distinguir novamente os traços de seu rosto. Seus lábios formam uma linha reta, e os olhos azuis habitualmente suaves parecem adagas. Ela está usando um casaco sujo com o sangue de Russell. Seu aspecto é absolutamente assustador.

Mas busco algum consolo no fato de ela ainda não ter me matado. Por algum motivo ela me quer viva, e isso me dá algum tempo para entender como sair daqui.

– O que você quer? – pergunto a ela.

Ela me encara. O branco de seus olhos brilha, afundado em órbitas escuras e ocas.

– Há quanto tempo você estava dormindo com o meu marido?

Abro a boca, pensando se devo mentir. Mas então a encaro nos olhos e entendo que é melhor não brincar com essa mulher.

– Dez meses.

– Dez meses. – Ela cospe as palavras. – Bem debaixo do meu nariz. A gente era feliz antes de você aparecer, sabia? Fomos felizes por vinte anos. Ele não era perfeito, mas me amava. – Sua voz falha. – E aí, assim que conheceu você, ele...

– Eu sinto muito. Não é que a gente tenha planejado isso.

– Mas vocês tinham planos, sim. Grandes planos. Ele tinha a intenção de me largar pra ficar com você...

Como ela não formula a frase em tom de pergunta, fico de boca fechada. Russell alegava ter planos de largar Marybeth para ficar comigo, mas, no finalzinho, eu já não tinha tanta certeza assim. Ele acabou não sendo o homem que pensei que fosse.

– Ele te amava muito – digo por fim, na esperança de conseguir acalmá-la.

– Então por que estava dormindo com você? – dispara ela.

– Olha – começo, tentando manter a calma, embora meu coração continue disparado. – Ele queria voltar pra você. Estava tendo dúvidas. Se você não tivesse...

Ela me encara. Não posso esquecer que essa mulher acabou de assassinar o marido. Ela não está querendo voltar com ele. A única coisa em que está pensando é em se vingar.

– E o Doug... – Seus olhos parecem feitos de gelo quando me encara. – Você matou ele, não foi? Você e o Russell.

Abro a boca, pronta para negar. Mas então vejo seu olhar e me dou conta de que não foi uma pergunta.

– É, matei.

Por uma fração de segundo, seu olhar se abranda e seus olhos se enchem de lágrimas.

– Doug Garrick era um homem bom de verdade... o melhor. Ele era como um irmão pra mim.

– Eu sei. E eu... sinto muito.

– Sente muito! – dispara ela. – Você não passou na frente dele na fila do cinema. Você assassinou ele! Ele está morto por sua causa!

Pressiono os lábios um no outro com medo de dizer qualquer outra palavra, porque nada do que eu diga vai consertar as coisas. Marybeth está uma fera comigo; afinal, dormi com o marido dela e matei seu amado chefe. Mas isso não significa que eu deva morrer aqui, pelas mãos dela.

Preciso encontrar uma saída dessa situação.

Meu olhar recai na faca na sua mão direita. Ela está com a faca no colo, ainda suja com o sangue de Russell; o sangue dele está absolutamente por toda parte. Será que existe alguma chance de eu conseguir tirar a faca dela? Marybeth não está exatamente no auge da forma física.

– O que você quer de mim? – pergunto.

Ela leva a mão ao bolso do casaco e saca um pedaço de papel branco. Então vasculha em volta até encontrar uma caneta. Faz os dois objetos deslizarem pela mesa da cozinha até mim.

– Quero que escreva uma confissão – declara ela.

A bile sobe pela minha garganta e preciso empurrá-la para baixo outra vez.

– Como é que é?

– Você me ouviu. – Seus olhos chispam. – Quero que escreva tudo que fez. Como seduziu Russell. Como vocês dois conspiraram para matar seu marido. Quero uma confissão completa.

– Tá bom...

Não quero fazer isso, mas vi o que ela fez com Russell. Pensar nela cortando minha garganta como fez com ele...

– Escreve!

Minhas mãos não param de tremer enquanto escrevo minha confissão no pedaço de papel branco agora marcado por impressões digitais vermelhas. Como não sei exatamente o que ela quer que eu diga, tento manter a simplicidade. Não estou muito preocupada com isso, pois nada do que eu escrever sob a ameaça de uma faca vai se sustentar num tribunal.

A quem interessar possa,

Venho tendo um caso extraconjugal com Russell Simonds nos últimos dez meses. Juntos, nós dois matamos meu marido, Douglas Garrick.

Estudo a expressão de Marybeth. Seu rosto nada revela.

– É isso que você quer? – pergunto.

– É, mas ainda não acabou.

– O que mais você quer que eu diga?

– Você tem que escrever o seguinte. – Ela bate no papel com a unha comprida. – Não consigo mais viver com a culpa.

Rabisco no papel a frase, que fica quase ilegível de tanto que minhas mãos tremem. Por um segundo, a página se borra e não consigo continuar escrevendo, mas então minha visão volta a entrar em foco.

– Então hoje à noite decidi tirar a vida de nós dois – continua ela.

Paro de escrever; a caneta escapa dos meus dedos dormentes.

– Marybeth…

– Escreve!

Ela ergue a faca e a aproxima do meu rosto. Fecho os olhos por um segundo, lembrando-me da ferida aberta na garganta de Russell. Ai, meu Deus. Essa mulher está falando sério. Escrevo a última frase da minha confissão.

– Agora assina o seu nome – ordena Marybeth.

Obedeço. Não estou numa situação em que possa recusar.

Ela pega minha confissão por escrito e a relê, embora continue a manter um olho pregado em mim.

– Ótimo.

Entendo o que deve acontecer agora. A confissão termina comigo dizendo que vou tirar minha própria vida. Ou seja, antes de essa noite terminar, ela vai me matar. Pensar nisso me deixa extremamente tonta, e, embora a mulher esteja me ameaçando com uma faca, vou correndo até a pia da cozinha para vomitar. Ela me deixa ir.

Fico debruçada na pia, ainda sentindo espasmos mesmo depois de ter esvaziado a barriga. Tingi a pia de vermelho com meu vômito por causa do vinho. A cadeira da cozinha range atrás de mim, e um segundo depois Marybeth está de pé ao meu lado, diante da pia.

– Por favor, não faz isso – suplico.

Ela inclina a cabeça.

– Não foi o que você fez com o Doug? Não acha que merece?

Com Douglas foi diferente. Ele estava me tratando de um jeito tão horrível que não tive escolha. E até morto continua a me atormentar, com o testamento que fez. Meu Deus, como vou contestar essa porcaria de testamento? Mas vou me preocupar com isso quando sair daqui. Primeiro, preciso fazer essa mulher desistir.

– Todo mundo comete erros – declaro. – Estou me sentindo horrível por conta das coisas que fiz. E agora preciso seguir vivendo com elas.

– Não é suficiente – rebate ela.

Sinto o peito apertado, como se um espartilho estivesse me espremendo.

– Não é suficiente me mandar pra cadeia pelo resto da vida?

– Não. Você merece algo pior. É mesmo uma pessoa desprezível. E merece morrer de um jeito doloroso e horrível.

O espartilho aperta um pouco mais.

– Mas o que você acha que vai acontecer? Acha que a polícia vai acreditar que eu mesma me esfaqueei até morrer? As pessoas na verdade não fazem isso. Eles vão saber que alguém fez isso comigo.

Marybeth passa alguns segundos calada.

– Tem razão – diz ela num tom pensativo. – As pessoas veriam que não foi suicídio se você fosse esfaqueada.

Ah, graças a Deus. Finalmente consegui fazer a mulher ouvir a voz da razão.

– Exato.

– É por isso que você não vai morrer desse jeito.

Sinto uma nova onda de tontura que quase me derruba no chão.

– Como assim? Do que você tá falando?

Será que ela tem outra arma aqui? Uma pistola? Um nunchaku? O que essa mulher vai fazer comigo?

– Já ouviu falar de um remédio chamado digoxina? – pergunta ela.

Digoxina? Por que isso me soa conhecido?

Então a ficha cai. Douglas costumava tomar esse remédio. Para o coração. E Marybeth tem uma cópia das chaves da casa em Long Island onde ele guardava a medicação.

– A toxicidade da digoxina é extremamente alta – continua ela. – Primeiro, a pessoa sente enjoo, tontura, cólicas intensas e visão borrada. É bem doloroso. Mas o modo como o remédio mata é provocando uma arritmia mortal.

– Quer dizer que você espera que eu engula um punhado de comprimidos de digoxina? – pergunto devagar.

Se ela me mandar engolir algum comprimido, vou ter que dar um jeito de não fazer isso. Posso deixá-los debaixo da língua e cuspir quando tiver oportunidade. Ela não tem como me forçar.

Mas seus lábios então se franzem num sorriso.

– Você já engoliu, Wendy.

Ai, meu Deus, o vinho.

Tento vomitar na pia outra vez, mas nada sai. Ao mesmo tempo, meu estômago é tomado por uma cólica tão forte que me faz lacrimejar. Apesar da tontura crescente, até que consegui me manter de pé, mas nessa hora afundo até o chão segurando a barriga.

Marybeth se agacha ao meu lado.

– Não tenho certeza de quanto tempo vai demorar. Mais uma hora? Duas? Não há pressa. Ninguém está procurando a gente aqui.

Ergo os olhos para ela. Seu rosto se borra e torna a entrar em foco.

– Me leva pro hospital, por favor.

– Acho que não.

– Por favor – imploro com um arquejo. – Tenha misericórdia…

– Como você teve pelo Doug?

Estendo a mão, e meus dedos mal roçam a perna da sua calça jeans. Tento me segurar nela, mas é como se minha mão não estivesse mais obedecendo aos meus comandos.

– Faço qualquer coisa que você quiser. Te dou qualquer coisa que quiser. Eu juro.

– E eu juro que a sua morte vai ser lenta e dolorosa – afirma Marybeth. – E, ao contrário de você, eu nunca deixo de cumprir o que prometo.

SETENTA E TRÊS
MILLIE

Está na hora de encarar a verdade.

Dormi a noite passada no carro de Enzo. Sabia que a polícia estava com um mandado de prisão expedido contra mim e simplesmente não estava preparada para ser presa outra vez. Então me escondi, estacionei o carro num beco escuro e dormi no banco de trás. Como já passei um tempo morando dentro do meu carro, dormir no banco de trás me fez ter um déjà-vu daqueles.

Esse fato me fez perceber também que não posso ficar para sempre dormindo no banco de trás do carro de Enzo. Preciso me entregar e torcer para a verdade vir à tona.

Quando paro o carro em frente ao meu prédio, minha expectativa é ver metade da força policial da cidade ali, acampada à minha espera. Mas, não: vejo uma única viatura. Mesmo assim, sei que ela está ali por minha causa.

Dito e feito: assim que salto do Mazda de Enzo, um jovem policial pula de dentro da viatura.

– Wilhelmina Calloway? – pergunta ele.

– Sou eu – confirmo.

Wilhelmina Calloway, a senhorita está presa. Eu me preparo para ouvir ele dizer essas palavras, mas não é o que ele diz.

– Poderia vir comigo até a delegacia?

– Estou sendo presa?

Ele faz que não com a cabeça.

– Não que eu saiba. O investigador Ramirez gostaria muito de conversar, mas a senhorita não tem obrigação nenhuma de vir.

Então tá. É um bom começo.

Eu me sento no banco de trás do carro de polícia. Mantive o celular desligado a noite inteira, e então o ligo. Há algumas chamadas perdidas da polícia de Nova York, e vinte de Enzo. Ele deve ter percebido que peguei o carro dele. Não ouço os recados de voz, mas rolo a tela por uma longa sequência de mensagens que ele me mandou.

Cadê você?

Você pegou meu carro?

Você pegou meu carro!

Por favor, volta com o meu carro. A gente vai conversar.

Não vai no chalé!

Cadê você? Superpreocupado.

Volta, por favor. Não vai no chalé. Eu te amo.

A gente vai dar um jeito. Volta.

E segue nessa toada.

As mensagens de texto continuam noite adentro. Ele passou metade da noite acordado preocupado comigo. Eu lhe devo uma explicação, ou pelo menos um aviso de que estou bem. Então lhe mando uma mensagem de texto:

Tá tudo bem. Estou no banco de trás de uma viatura da polícia agora. Não fui presa. Seu carro está na frente do meu prédio.

A resposta de Enzo chega quase na mesma hora, como se ele estivesse encarando o celular, esperando eu mandar uma mensagem:

Onde você estava??????

Escrevo de volta:

Eu dormi no carro. Tá tudo bem.

Três bolinhas aparecem na tela enquanto ele digita. Imagino que vá dizer que me ama, que ficou preocupado, ou algo do tipo, ou quem sabe me dar uma bronca por ter roubado seu carro. Mas, em vez disso, Enzo diz uma coisa totalmente inesperada:

Wendy Garrick morreu. Eu vi no jornal.

Como assim? Como???

Ela se matou.

SETENTA E QUATRO

A sala de interrogatório não parece tão assustadora dessa vez.

Enquanto estava dentro da viatura, devorei todas as notícias que consegui encontrar sobre o suicídio de Wendy Garrick. Ao que parece, ela cortou a garganta do namorado e depois engoliu um monte de comprimidos. Chegou até a deixar um bilhete.

Isso acrescenta uma dimensão inteiramente nova ao que aconteceu com Douglas Garrick.

Já estou na sala há uma meia hora quando o investigador Ramirez finalmente entra. Continua com a mesma expressão séria no rosto, mas ela já não parece mais tão ameaçadora quanto antes. Ele está com uma cara simplesmente... perplexa.

– Bom dia, Srta. Calloway – diz ele ao se sentar na cadeira à minha frente.

– Bom dia, investigador – respondo.

Suas sobrancelhas se aproximam.

– Já soube o que aconteceu com Wendy Garrick?

– Já. Deu no noticiário.

– Então deve saber que, no bilhete que escreveu, ela também confessou o assassinato do Sr. Garrick.

Eu me permito um minúsculo, diminuto sorriso.

– Quer dizer que não sou mais suspeita?

– Na verdade... – Ele se recosta na cadeira de plástico, que range sob seu peso. – A senhorita já não era mais suspeita. Acontece que tinha uma câmera na entrada dos fundos sobre a qual ninguém sabia. Nós vimos as imagens, e pelo visto a senhorita nunca esteve no prédio ao mesmo tempo que o Sr. Garrick.

– Tá. A Wendy armou pra cima de mim.

Havia uma câmera desde o início. Todo o pânico e o estresse dos últimos dois dias… e o tempo inteiro, a prova da minha inocência estava bem ali.

Ele assente.

– Pelo visto, sim. De modo que quero me desculpar. A senhorita pode entender por que chegamos a pensar que fosse a responsável pelo assassinato.

– Claro. Eu tenho passagem pela prisão, então se algum crime tiver sido cometido, eu devo ser a responsável.

Ramirez tem a elegância de parecer constrangido.

– Eu de fato tirei algumas conclusões precipitadas, mas a senhorita precisa reconhecer que a situação não era favorável para o seu lado. E Wendy Garrick insistiu tanto que a senhorita só podia ser a responsável…

Ele tem razão. Ela deu conta direitinho de me incriminar. Mas, se tivesse sido apenas um pouquinho mais esperta, não teria precisado fazer nem isso. No fim das contas, Wendy Garrick tornou as coisas bem mais difíceis para si mesma do que o necessário. Ela poderia ter aprendido muito comigo.

Mas a experiência toda me deixou com um gosto amargo. Já ajudei muitas mulheres ao longo dos anos, e embora nem sempre tudo tenha corrido conforme o planejado, sempre senti estar lutando por uma boa causa. Quando mulheres vinham procurar minha ajuda, nunca senti qualquer hesitação em fazer a coisa certa.

Mas agora tenho minhas dúvidas. Wendy realmente parecia uma vítima. Depois dessa experiência, vai ser difícil confiar na próxima pessoa que vier me pedir ajuda. E isso é uma das maiores mágoas que guardo em relação a ela.

– Quer dizer que não sou mais suspeita? – pergunto a Ramirez.

– Isso mesmo. No que me diz respeito, o caso está encerrado.

Douglas está morto. Eles sabem que a responsável foi Wendy. E ela também está morta. Não há necessidade de mais nenhuma investigação, nem de mais prisões, nem de julgamento. Estou livre.

– Então não entendi. O que estou fazendo aqui?

– Bem… – Ramirez sorri, encabulado. – Descobrimos que a senhorita tem uma certa reputação.

– Reputação? – Sinto um leve embrulho no estômago; isso não me soa bem. – Reputação de quê?

– De heroína.

– De he... Como é que é?

– Sei que pensou que estava tentando ajudar a Sra. Garrick, porque já ajudou outras mulheres antes – explica ele. – E quero que saiba que valorizamos muito isso. Nós aqui vemos algumas coisas bem ruins, e às vezes chegamos às vítimas tarde demais.

O comentário dele acerta o alvo. Fiz todo o meu possível para impedir que jamais fosse "tarde demais". E, aonde quer que o futuro me conduza – como empregada ou como assistente social –, vou continuar fazendo exatamente a mesma coisa.

– Eu... eu faço o melhor que posso com os recursos que tenho.

– Entendo. – Ele sorri para mim. – E só quero que saiba que pode me considerar mais um recurso. Quero que fique com o meu cartão, e se algum dia vir alguma situação na qual uma mulher esteja correndo perigo, quero que me ligue na mesma hora; anotei meu número de celular no verso. Dessa vez, juro que vou acreditar em você.

Ele faz seu cartão deslizar por cima da mesa. Eu o pego e encaro seu nome. Benito Ramirez. Enfim, um amigo na polícia. Mal consigo acreditar.

– Só pra que fique claro: você não tá dando em cima de mim, tá?

Ele joga a cabeça para trás e ri.

– Não... sou velho demais pra você. E imaginei que estivesse com aquele cara italiano que veio aqui na delegacia ontem e fez o maior escândalo por sua causa, dizendo que íamos prender a pessoa errada e que ele só ia embora depois de escutarmos o que ele tinha a dizer. Pensei que fôssemos ser obrigados a prender o sujeito.

Sorrio comigo mesma.

– Sério?

– Seríssimo. Na verdade, ele está lá fora agorinha. Não quer sair da sala de espera até ver você.

– Nesse caso... – falo, ainda sem conseguir tirar o sorriso do rosto (embora não esteja realmente tentando). – Acho que vou andando.

Quando me levanto, Ramirez também fica de pé. Ele estende a mão para mim, e eu a aperto. Então saio da sala para encontrar Enzo e finalmente voltar para casa.

EPÍLOGO
MILLIE

Três meses depois

Não entendo como Enzo podia ter tanta coisa naquela quitinete minúscula onde morava.

Ele entra no meu apartamento trazendo o que parece ser a milionésima caixa com seus pertences e a pousa em cima de outra caixa. Tá, não é uma tortura ficar vendo Enzo carregar caixas com os músculos dos braços contraídos por baixo da camiseta, mas, meu Deus, o que tem dentro de tanta caixa? Ele parece alternar entre umas sete ou oito camisetas e duas calças jeans. O que mais ele poderia ter?

– Acabou? – pergunto enquanto ele seca o suor da testa.

– Não. Tem mais duas.

– Mais duas?!

Estou meio que começando a me arrepender dessa história. Bom, na verdade, não. Depois que terminei com Brock, Enzo e eu continuamos exatamente de onde tínhamos parado antes de ele ir para a Itália. Só que dessa vez nós dois sabíamos que não podíamos viver um sem o outro. Então, depois de algum tempo, quando ele comentou que estava jogando fora todo mês o dinheiro do aluguel enquanto na realidade já estava dormindo direto na minha casa, eu logo sugeri que viesse morar comigo.

Engraçado. Quando é a coisa certa, a gente simplesmente sabe.

– Duas caixas pequenas – diz Enzo. – Uma coisinha de nada.

– Humm.

Não acredito nele. Sua definição de "caixa pequena" é algo que pese menos do que eu.

Ele sorri para mim.

– Desculpa ser tão chato.

Ele não é nem um pouco chato. Na verdade, ele é o único motivo pelo qual eu pude continuar morando neste apartamento. A Sra. Randall ainda estava disposta a me pôr para fora, mesmo depois de eu ser totalmente inocentada, mas Enzo foi falar com ela e de repente a mulher se mostrou bem satisfeita em me deixar ficar. Ele é mesmo muito charmoso.

Enzo atravessa a sala para me dar um abraço. Apesar de estar um pouco suado de tanto carregar caixas para lá e para cá entre uma casa e outra, não me importo. Ainda deixo que me beije. Sempre.

– Então tá – diz quando finalmente se afasta. – Vou pegar as outras caixas.

Solto um grunhido. Nós dois vamos ter que esvaziar essas caixas juntos e nos livrar de uma porção de coisas. Além disso, planejei liberar um pouco de espaço nas gavetas hoje.

Poucos minutos depois de Enzo sair, o interfone da porta da frente toca. Enzo comentou que ia pedir pizza para o jantar, mas não acho que ele já tenha feito o pedido. Sendo assim, só tem uma pessoa que poderia estar lá embaixo.

Aperto o botão para deixá-lo subir.

Um minuto depois, ouço batidas na minha porta. Pego a caixa que estava em cima da minha cama e a levo até a sala. Mantenho-a equilibrada num dos braços enquanto uso o outro para destrancar a porta.

Brock está parado à minha frente. Como sempre, está usando um de seus ternos caros, tem os cabelos penteados com perfeição e seus dentes cintilam de tão brancos. É a primeira vez que o vejo em três meses, e é como se eu tivesse esquecido o quão impecavelmente bonito ele é. Tenho certeza de que um dia vai ser um marido maravilhoso para alguma mulher. Só que essa mulher jamais teria sido eu.

– Oi – diz ele. – Separou minhas coisas?

– Tá tudo aqui.

Suspendo a caixa até seus braços estendidos. Quando estava tentando abrir espaço para Enzo, reparei que ainda tinha uma gaveta inteira de roupas e pertences variados de Brock que ele havia deixado. Cogitei jogar tudo fora, mas então lembrei que ele me avisou quando a polícia expediu um mandado de prisão contra mim e decidi ligar para ele e perguntar se queria pegar as coisas de volta. Ele disse que passaria na minha casa no dia seguinte.

– Obrigado, Millie – diz ele.

– De nada.

Ele hesita diante da porta.

– Você tá bonita.

Ai, meu Deus, será que vamos jogar esse joguinho?

– Obrigada. Você também – respondo. E então, como não consigo me segurar, emendo outra pergunta. – Tá saindo com alguém?

Ele faz que não com a cabeça.

– Ninguém em especial.

Ele não me faz a mesma pergunta, o que me deixa grata. Depois de todas as vezes que eu disse não quando ele me chamou para morar com ele, contar que Enzo está se mudando para o meu apartamento o deixaria magoado. E, apesar do jeito como as coisas terminaram com Brock quando ele me largou na delegacia, sei que ele me amava. Muito mais do que eu o amei.

– Bom... – Ele transfere a caixa de um braço para o outro. – Boa sorte com... com tudo.

– Pra você também. A gente se vê, então.

Não sei por que acrescentei essa última parte. O mais provável é que eu nunca mais o veja.

Estou prestes a fechar a porta quando Brock estende a mão para me impedir.

– Ah, Millie.

– Eu?

Ele sacode a caixa, confere o conteúdo, então torna a erguer os olhos para mim.

– Meu frasco extra de remédio tá aqui?

Cravo as unhas na palma da mão.

– Seu o quê?

– Meu frasco extra de digoxina – esclarece ele. – Aquele que eu deixava guardado no seu armário de remédios para quando dormisse aqui. Você ainda tá com ele? Eu levo esse frasco extra quando viajo.

– Ahn... – Cravo as unhas mais fundo na pele. – Não... não vi o frasco no armário de remédios. Devo ter jogado fora. Foi mal.

Ele agita a mão no ar.

– Não tem problema. Mas que bom que você não jogou fora meu moletom da Yale.

Brock me acena um último adeus e, em vez de fechar a porta, fico olhando enquanto ele desce a escadaria, o tempo inteiro prendendo a respiração. Só solto o ar depois de ele sumir de vista.

Não achei que ele fosse se lembrar daquele frasco de comprimidos que tinha deixado no armário de remédios. Mas eu com certeza me lembrei. Na primeira vez que vi aquilo no armário, quando ainda estávamos namorando, pesquisei sobre o medicamento só para saber mais sobre o meu namorado. Foi assim que descobri que a digoxina em altas doses pode causar arritmias fatais. Na ocasião, apenas arquivei esse fato no fundo da mente.

Apesar dos riscos, a digoxina é um medicamento muito usado para o coração. Tanto que até Douglas Garrick o tomava por causa da sua fibrilação atrial. Só que os comprimidos que causaram a overdose de Wendy Garrick não vieram do estoque de Douglas, como a polícia supôs.

Depois de pegar a chave do carro de Enzo, assim que fiquei sabendo que um mandado fora expedido para a minha prisão, acabei não indo até o tal chalé; cumpri o que havia prometido a Enzo. Em vez disso, o que fiz foi dirigir até Manhattan. Fui até o apartamento da esposa de Russell Simonds, Marybeth, que por acaso tinha sido funcionária do verdadeiro Douglas Garrick, e me apresentei.

Marybeth se revelou uma mulher encantadora. Estava bastante abalada com a morte do chefe, e foi horrível ter que explicar o que eu sabia sobre o marido dela. Mas ela se sentiu bem melhor depois de termos uma longa conversa. E, após se lembrar da apólice de seguro de vida substancial que Russell tinha feito alguns anos antes, Marybeth decidiu fazer uma viagenzinha terapêutica até o tal chalé na mata.

Já eu fui embora com um frasco de digoxina a menos.

A parte mais irônica disso tudo é que, se Wendy tivesse optado por fazer o marido ingerir uma dose um pouco excessiva do próprio remédio, isso provavelmente o teria matado, e talvez tivesse sido difícil provar que a dose não fora acidental. Ela poderia ter se poupado um trabalhão.

Em vez disso, ela tomou uma decisão muito ruim. Subestimou uma pessoa extremamente perigosa.

Eu.

E acabou pagando muito caro.

UMA CARTA DE FREIDA

Caros leitores,

Queria dizer um imenso obrigada a vocês por terem decidido ler *O segredo da empregada*. Se tiverem gostado e quiserem se manter atualizados em relação a todos os meus lançamentos pela Bookouture, é só se inscrever no link a seguir. Seu endereço de e-mail nunca será compartilhado, e vocês poderão cancelar a assinatura a qualquer momento.

www.bookouture.com/freida-mcfadden

Espero que tenham gostado de *O segredo da empregada* e, nesse caso, eu ficaria muito agradecida se pudessem escrever uma resenha. Adoraria saber o que vocês acharam, e isso faz uma enorme diferença para ajudar novos leitores a descobrirem um dos meus livros.

Além do mais, adoro receber mensagens dos leitores! Podem entrar em contato comigo pelo meu grupo no Facebook, Freida McFans.

Visitem meu site:
www.freidamcfadden.com

Para mais informações sobre os meus livros, por favor me sigam na Amazon!
Vocês também podem me seguir no BookBub!

Obrigada!
Freida

AGRADECIMENTOS

Quero agradecer à Bookouture por ter me ajudado a fazer do primeiro livro desta série um sucesso tão espetacular e por ter me apoiado nesta continuação. Obrigada à minha editora, Ellen Gleeson, que tem uma compreensão incrível dos meus livros e um entusiasmo sem limites! Obrigada à minha mãe pelo seu feedback inicial, assim como à Kate. E, como sempre, obrigada aos meus leitores por seu incrível apoio; vocês fazem tudo valer a pena!

CONHEÇA OS LIVROS DE FREIDA MCFADDEN

O detento

SÉRIE A EMPREGADA
A empregada
O segredo da empregada
O casamento da empregada (apenas e-book)
A empregada está de olho

Para saber mais sobre os títulos e autores da Editora Arqueiro,
visite o nosso site e siga as nossas redes sociais.
Além de informações sobre os próximos lançamentos,
você terá acesso a conteúdos exclusivos
e poderá participar de promoções e sorteios.

editoraarqueiro.com.br